WORDSEARCH
FRENCH

WORDSEARCH
FRENCH

The Fun Way to Learn the Language

ARCTURUS

ARCTURUS

This edition published in 2020 by Arcturus Publishing Limited
26/27 Bickels Yard, 151–153 Bermondsey Street,
London SE1 3HA

ISBN: 978-1-83940-202-9
AD007990NT

Printed in China

Introduction

Bonjour! Welcome to this book of more than 100 wonderful wordsearch puzzles, designed to be a fun introduction to the French language!

An in-depth knowledge of French is not necessary even if you plan to head off on a French adventure, but you'll be surprised at the difference a few basic words and phrases can make. A polite "hello" upon entering a store, a "please" and "thank you" when ordering your coffee, and a friendly "how are you?" can really make a difference and ensure service with a smile.

While not a comprehensive guide to learning French, nor a replacement for a phrasebook or French lessons, this book is intended to be an entertaining way to build your vocabulary and expand your knowledge of all things French. The wordsearches within contain French words and phrases with their English translations on useful topics such as greetings, essential words, and common adjectives. Alongside these vocabulary building puzzles are fun wordsearches filled with French trivia, such as French food, French writers, or things to see and do in Paris.

All you need to do is find the capitalized, italicized French words within the grids. Whether you are a complete novice looking to learn a few words before your holiday, a learner looking for a new way to expand your knowledge of French words, or are just in need of a refresher in the language, you're sure to learn a lot as you enjoy solving the puzzles. You can also use them as a fun way to help your children to learn French!

Before you begin, you will find on the next page a few basic tips on the French language to help get you started.

Gender

All French nouns are either masculine or feminine. The gender of singular nouns will be indicated by the appropriate word for "the", **le** (masculine) or **la** (feminine), or in a few cases the word for "a/an", **un** (masculine) or **une** (feminine). Where the noun begins with a vowel, the singular definite articles become **l'** with the gender noted in parentheses (m/f). If the noun is plural, this becomes **les**. Where it is unclear, the gender will be marked within parentheses, (fpl) for example indicating feminine plural.

Adjectives

The ending of some adjectives in French will change depending on whether they are describing a masculine or feminine word, and almost all also have singular and plural forms. In cases where the adjective changes, these words will be listed as masculine singular followed by feminine singular, e.g.

Ambitieux / ambitieuse (Ambitious)

"You"

There are two versions of "you" in French, **tu**, the familiar form to use with people you know, and **vous**, the more formal or polite form (and also the plural "you"). For the most part, this book uses **vous** as this is normal with people you do not know, unless the phrase is clearly being directed at someone with whom you are familiar when it will use **tu**.

Whether you are looking for education or fun, you're sure to love the puzzles contained within. Have fun and *bon voyage!*

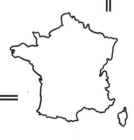

Mots et formules indispensables: Essential Words and Phrases

```
V T E Ù R U O J N O B E L A Ë
O N L É T E S T A E L L E U Q
U E L E R G X I C R E M A R È
D M E J M I B C O Ç A Â H Ô B
R M P S D F O P U P Œ Ï E N O
A O P I E H U S P S Û M U E N
I C A U K O M E J I E È R I S
S D M P C N L V É A J Z E B O
C T I U S E O E È L Ù À M M I
Q P A M Z A Ô D É G F T F O R
V E L V S Z I E R N E I R C I
B Ô O A U È I D Q A R L Œ J F
Ê U T R Î I R Ü E Œ P U W W V
S T I U N T V P A R F É O F P
P F R I O V E R A I M Â O J L
```

BONJOUR
(Hello)

Au REVOIR
(Goodbye)

Bonne JOURNÉE
(Have a good day)

Bon APRÈS-MIDI
(Have a good afternoon)

Bonne SOIRÉE
(Have a good evening)

BONSOIR
(Good evening)

Bonne NUIT
(Good night)

À tout à L'HEURE
(See you later)

De RIEN
(You are welcome)

EXCUSEZ-MOI
(Excuse me)

PARDON
(Sorry)

S'il vous PLAÎT
(Please)

Merci BEAUCOUP
(Thank you very much)

COMMENT allez-vous ?
(How are you?)

Ça va, MERCI
(I am fine, thank you)

Pouvez-vous m'AIDER ?
(Can you help me?)

Je VOUDRAIS …
(I would like …)

À QUELLE heure est … ?
(When is …?)

Où PUIS-JE … ?
(Where can I …?)

COMBIEN coûte … ?
(How much is …?)

Parlez-vous ANGLAIS ?
(Do you speak English?)

Comment vous
APPELEZ-VOUS ?
(What is your name?)

Je M'APPELLE …
(My name is …)

La compréhension: Understanding

```
È Û Û S I A S I A L G N A O L
Œ S W S U O V Z E L R A P F E
K K A Ù E E T S I X E K Ê B N
È S B P I O M Z E S U C X E T
W U È Z P P R O N O N C E L E
G O I B E E D O Ï Â O S Ù Â M
W V N A P N L Û É M A É X H E
Û Z T V A Ï E L P P V M C U N
F E E A Ê G N R E Q E Z E Î T
T I R C É S E L P T U P G D F
S R P Â J N R À T M T Y É J Ç
Û R R Ç D A Ê R K S O S Ê W Ê
S U È S P Ü E Ç É C O C J O V
J O T D P N D Ç Ü L U Ê X Ç Œ
X P E Û P Ê K R É P É T E R L
```

PARLEZ-VOUS anglais ?
(Do you speak English?)

Y a-t-il quelqu'un qui parle
ANGLAIS ?
(Does anyone speak
English?)

Je ne *PARLE PAS* …
(I do not speak …)

Je parle un *PEU* …
(I speak a little …)

J'ai besoin d'un *INTERPRÈTE*.
(I need an interpreter.)

EXCUSEZ-MOI. (Excuse me.)

Que *VEUT* dire … ?
(What does … mean?)

Vous *COMPRENEZ* ?
(Do you understand?)

Je *COMPRENDS*. / Je ne
comprends pas.
(I understand/I do not
understand.)

Comment se *PRONONCE* … ?
(How do you pronounce …?)

Comment *S'ÉCRIT* … ?
(How do you write …?)

Vous pouvez *RÉPÉTER* ?
(Could you repeat that?)

Vous pouvez *METTRE* ça par
écrit, s'il vous plaît ?
(Could you please write that
down?)

Pourriez-vous parler plus
LENTEMENT ?
(Could you speak more
slowly?)

Je ne *SAIS* pas. (I do not know.)

DÉSOLÉ. / Désolée. (Sorry.)

Comment ça *S'APPELLE* ?
(What is that called?)

POURRIEZ-VOUS me parler
de … ?
(Can you tell me about …?)

Est-ce que ça *EXISTE* en
anglais ?
(Is this available in English?)

Les nombres: Numbers

```
U U A T R Û V G Ù E K E Ê S O
P E Ô Î P I U Q U Z É B Z Q N
A Z Û P N E É N À I Â X U N À
E R U G E K S Z Ê E X A D Ç O
P O T Q E S I X É S T I S A R
T T S À D L É E Î R T U N Q A
E A X Ü Ë C L K E R O P O U I
Z U P U Z C I I E X M R I A Z
N Q H R E E V N M Û W E L R E
I K L N T D T A Q G T M L A Y
U I T D X E Ë U È I Ë I I N E
Q G B J U I E Â U D Ï E M T U
F U E N M Ë D H H I Ô R N E Ë
À Z E G H T R O I S E Z U O D
Y E Z I E R T A R O R Z E O Ô
```

ZÉRO (Zero)	*HUIT* (Eight)	*SEIZE (Sixteen)*
Un / *UNE* (One)	*NEUF* (Nine)	*VINGT* (Twenty)
DEUX (Two)	*DIX* (Ten)	*TRENTE* (Thirty)
TROIS (Three)	*ONZE* (Eleven)	*QUARANTE* (Forty)
QUATRE (Four)	*DOUZE* (Twelve)	*CENT* (One hundred)
CINQ (Five)	*TREIZE* (Thirteen)	*MILLE* (One thousand)
SIX (Six)	*QUATORZE* (Fourteen)	*UN MILLION* (One million)
SEPT (Seven)	*QUINZE* (Fifteen)	*PREMIER* (First)

Le calendrier: The Calendar

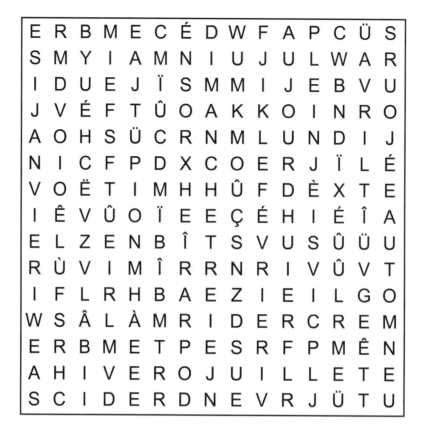

```
E  R  B  M  E  C  É  D  W  F  A  P  C  Ü  S
S  M  Y  I  A  M  N  I  U  J  U  L  W  A  R
I  D  U  E  J  Ï  S  M  M  I  J  E  B  V  U
J  V  É  F  T  Û  O  A  K  K  O  I  N  R  O
A  O  H  S  Ü  C  R  N  M  L  U  N  D  I  J
N  I  C  F  P  D  X  C  O  E  R  J  Ï  L  É
V  O  Ë  T  I  M  H  H  Û  F  D  È  X  T  E
I  Ê  V  Û  O  Ï  E  E  Ç  É  H  I  É  Î  A
E  L  Z  E  N  B  Î  T  S  V  U  S  Û  Ü  U
R  Ù  V  I  M  Î  R  R  N  R  I  V  Û  V  T
I  F  L  R  H  B  A  E  Z  I  E  I  L  G  O
W  S  Â  L  À  M  R  I  D  E  R  C  R  E  M
E  R  B  M  E  T  P  E  S  R  F  P  M  Ê  N
A  H  I  V  E  R  O  J  U  I  L  L  E  T  E
S  C  I  D  E  R  D  N  E  V  R  J  Ü  T  U
```

LUNDI (Monday)	*MARS* (March)	*DÉCEMBRE* (December)
MARDI (Tuesday)	*AVRIL* (April)	L'*ÉTÉ* (m) (Summer)
MERCREDI (Wednesday)	*MAI* (May)	L'*AUTOMNE* (m) (Autumn/fall)
JEUDI (Thursday)	*JUIN* (June)	L'*HIVER* (m) (Winter)
VENDREDI (Friday)	*JUILLET* (July)	Le *PRINTEMPS* (Spring)
SAMEDI (Saturday)	*AOÛT* (August)	*AUJOURD'HUI* (Today)
DIMANCHE (Sunday)	*SEPTEMBRE* (September)	Les *JOURS* (mpl) (Days)
JANVIER (January)	*OCTOBRE* (October)	
FÉVRIER (February)	*NOVEMBRE* (November)	

L'heure: Telling the Time

```
C O E C N E M M O C A D À Y P
L Ï Ç B S D N I N I T A M A I
V I N G T I R M I N U T E J Œ
Ç A T Ç F U O A S E C O N D E
T R A U Q Ç A R T Ü Z R P Ë S
O J A Y O S Ï P T E X F T E T
K B R A Ê T N E R A R È Ô L M
E I M E D F Œ I M È R Œ T L I
R Ç Î X V H I C O X S J N E D
E V V Ô E E E N Î M F M E U I
H T I U N O L A I Ü S D I Q Ô
C É R S E Ü Î N D T I S B D Q
U E Q É O Y U È R X Ï B J Y I
O C Î O Ù I F N A V A N C E Ç
C B G R T É R Z E K D N É Z Ë
```

QUELLE heure est-il ?
(What time is it?)

À quelle HEURE … ?
(At what time …?)

Il EST MIDI. (It is noon.)

Il est MINUIT. (It is midnight.)

Le MATIN (Morning)

L'APRÈS-MIDI (m) (Afternoon)

Le SOIR (Evening)

La NUIT (Night)

La SECONDE (Second)

La MINUTE (Minute)

Un QUART d'heure
(A quarter of an hour)

TROIS quarts d'heure
(Three-quarters of an hour)

BIENTÔT (Soon)

À quelle heure ça
COMMENCE / FINIT ?
(What time does it start/
finish?)

… DIX (Ten past …)

… MOINS dix (Ten to …)

… VINGT (Twenty past …)

… et DEMIE (Half past …)

À TOUT à l'heure.
(See you later.)

Tu es en AVANCE / en
RETARD.
(You're early/late.)

Le LEVER du soleil (Sunrise)

Le COUCHER du soleil
(Sunset)

La météo: The Weather

```
E E È U R U E T A L I T N E V
L X B C B C H A P E A U Ï M E
Ê P B F E N Ô Ç E Ü T X À U L
R A R Y A S É R G E D Â E R B
G D F É U N V G M Œ Ô G D B A
C S É É V E Ù P B T I U U L É
H Ï E C R O É P L E U T V I M
A Ç G G R R I X N M À T E E R
U R L X A A F T T P Ë V N L E
D A À U U N W Q S X Ü T O P
S D U V S E N D I O R F R S M
D R O Â U A G S I A V U A M I
E Û F U O L Y A U Ï P Ç V D Ï
A N Q S X W Ç J R J G È L E É
P A R A P L U I E O F È S Ç Ç
```

Que *PRÉVOIT* la météo ?
(What is the forecast?)

Quelle *TEMPÉRATURE* fait-il ?
(What is the temperature?)

Il fait … *DEGRÉS*.
(It is … degrees.)

Quel *TEMPS* fait-il ?
(What is the weather like?)

Il fait *BEAU*. (It is good.)

Il fait *MAUVAIS*. (It is bad.)

Il fait *DOUX*. (It is warm.)

Il fait *CHAUD*. (It is hot.)

Il fait *FROID*. (It is cold.)

Il y a du *SOLEIL*. (It is sunny.)

Il *PLEUT*. (It is raining.)

Il y a des *NUAGES*.
(It is cloudy.)

Le temps est *ORAGEUX*.
(It is stormy.)

Il y a *DU VENT*. (It is windy.)

Il *NEIGE*. (It is snowing.)

Il y a du *VERGLAS*. (It is icy.)

Il y a de la *BRUME*. (It is misty.)

Il *GRÊLE*. (It is hailing.)

Il *GÈLE*. (It is freezing.)

Est-ce que je dois mettre de
l'*ÉCRAN* total ?
(Do I need sunblock?)

Où puis-je acheter un
IMPERMÉABLE ?
(Where can I buy a
raincoat?)

Où puis-je acheter un
PARAPLUIE ?
(Where can I buy an
umbrella?)

Où puis-je acheter un
VENTILATEUR ?
(Where can I buy a fan?)

Où puis-je acheter un
CHAPEAU ?
(Where can I buy a sunhat?)

Verbes courants: Common Verbs

```
P E D N I O S E B R I O V A D
C R I O V A S Û P E C R B P R
X E R P D M G A U L O S O P A
R U Ù I À Ù R Î Ë R M R I E N
E Q B L N T H R È A P E R L I
C I I T I E E G D P R S E E R
N R P R Ù N V E Ï P E I S R A
E B D C N D M E R R N L S C T
M A R O R A O E D E D I E O T
M F D E N Z G R E T R T N U E
O V L D T N Ê R M S E U T R N
C L E S A E I T S I A A I I D
A R Ï M U A H U R X R D R R R
C Ë A D F É Î C È E A T U C E
Ï R E L L I A V A R T F W S O
```

ALLER (To go)	*PARLER* (To speak)	*COMMENCER* (To start)
ÊTRE (To be)	*DONNER* (To give)	*DEVENIR* (To become)
FAIRE (To do)	*SAVOIR* (To know)	*ATTENDRE* (To wait)
MANGER (To eat)	*PARTIR* (To leave)	*EXISTER* (To exist)
BOIRE (To drink)	*DEMANDER* (To ask)	*APPELER* (To call)
UTILISER (To use)	*DORMIR* (To sleep)	*ACHETER* (To buy)
TRAVAILLER (To work)	*COMPRENDRE* (To understand)	*RESSENTIR* (To feel)
AVOIR BESOIN DE (To need)	*COURIR* (To run)	*FABRIQUER* (To make)
DIRE (To say)		*LIRE* (To read)

Adjectifs courants: Common Adjectives

```
E T R C E U T E X I D Ü Q E E
T N I O M F É U E É L O U T Ï
N E C N G M E L L U A O Ê K B
A G H T R Y E I Ï Q M B J X F
T I E E U N C F R I U Ù É U Ç
Û L F N T I Ê É P L S O E Z Q
O L N T E R V U A P A N A Ç O
G E S U N E F E E M N I F F V
É T X Ô I R F T D O T J D C I
D N S L O O I S I C E D S E E
X I L I R T U I P C H A U D I
A É D T M Q C R A H T Ç Î W L
E E E Û S P U T R E V U O Ê L
G R A N D E L Î R R E Ç E Ù E
É H C R A M Ê E É U G I T A F
```

JOLI / jolie (Pretty)

Laid / LAIDE (Ugly)

CONTENT / contente (Happy)

TRISTE (Sad)

Grand / GRANDE (Tall)

Grand et fort / grande et FORTE (Big)

PETIT / petite (Small)

SIMPLE (Simple)

COMPLIQUÉ / compliquée (Complicated)

Amusant / AMUSANTE (Fun)

ENNUYEUX / ennuyeuse (Boring)

RICHE (Rich)

PAUVRE (Poor)

DÉLICIEUX / délicieuse (Delicious)

Dégoûtant / DÉGOÛTANTE (Disgusting)

INTELLIGENT / intelligente (Intelligent)

BÊTE (Stupid)

NEUF / neuve (New)

Vieux / VIEILLE (Old)

OUVERT / ouverte (Open)

Fermé / FERMÉE (Closed)

FATIGUÉ / fatiguée (Tired)

Réveillé / RÉVEILLÉE (Awake)

CHAUD / chaude (Hot)

Froid / FROIDE (Cold)

CHER / chère (Expensive)

Bon MARCHÉ (Cheap)

RAPIDE (Fast)

LENT / lente (Slow)

Les fleuves et les rivières de France: French Rivers

```
S V Î M E U S E C J K Ü G I L
A Ù I X A U G H N N H A M X E
R P X L E R I O L Ô R R O U I
T A S J A E N S Q O H B S O S
H O S A R I A E N I H R E R È
E I A S M Ô N N A S Z Î L R R
O S D R N B E E E A C A L A E
É E O E U Q R I Â R L U E R N
I J U I A C N E E A E C E G N
À Ô R L R E C U G C N S E R E
E Ô I L I H S N Û A C E Y N I
M V I A È E O W R A U Â Ê R V
M T R U G N X U U R Ù A H P X
O O Y A E Ç D T E U E K E Î J
S L U W L C H A R E N T E Z V
```

L'*ADOUR*	L'*ESCAUT*	Le *RHIN*
L'*ALAGNON*	L'*EURE*	Le *RHÔNE*
L'*ALLIER*	La *GARONNE*	La *SAMBRE*
L'*ARIÈGE*	L'*ISÈRE*	La *SAÔNE*
L'*ARROUX*	La *LOIRE*	La *SARTHE*
L'*ARVE*	Le *LOT*	La *SEINE*
La *CHARENTE*	La *MARNE*	La *SOMME*
La *CHIERS*	La *MEUSE*	La *VIENNE*
La *CREUSE*	La *MOSELLE*	La *VILAINE*
La *DURANCE*	L'*OISE*	L'*YSER*

Les prépositions: Prepositions

```
Ê  D  T  N  A  D  N  E  P  A  S  F  A  C  E
A  E  N  T  R  E  Z  L  U  U  N  U  Ê  W  Ê
V  R  W  V  P  P  Ç  T  O  À  I  A  D  Ç  R
A  R  S  C  O  A  O  S  T  À  O  S  E  J  Û
N  I  È  U  S  U  S  R  L  Û  C  S  H  K  À
T  È  R  Ë  R  E  A  E  A  È  E  P  O  P  Â
Ë  R  P  C  D  V  F  E  T  I  R  Ç  R  Î  B
O  E  A  U  E  I  H  N  N  È  S  O  S  N  K
R  S  A  R  N  D  A  T  S  Ç  P  O  Ù  O  X
S  A  S  J  E  V  É  D  Ü  O  Q  O  N  R  W
B  R  U  P  E  R  E  E  S  U  A  C  À  I  A
Ü  M  U  D  I  S  U  S  S  E  D  U  A  V  Z
È  I  E  E  E  À  C  Ô  T  É  Y  Ô  N  Ù
S  E  U  E  N  L  Z  S  C  O  N  T  R  E  Z
B  R  N  H  M  K  À  I  M  R  A  P  T  V  Â
```

À PROPOS de (About)

AU-DESSUS de (Above/over)

APRÈS (After)

CONTRE (Against)

PARMI (Among)

AUTOUR de (Around)

ENVIRON (Approximately)

À LA FIN de (At the end of)

À CAUSE de (Because of)

AVANT (Before)

DERRIÈRE (Behind)

AU-DESSOUS de (Below)

ENTRE (Between)

En RAISON de (Due to)

PENDANT (During)

SAUF (Except)

POUR (For)

DEPUIS (From)

DEVANT (In front of)

AU-DELÀ de (Beyond/past)

À L'INTÉRIEUR de (Inside)

PRÈS DE (Near)

À CÔTÉ de (Next to)

Au COIN de (On the corner of)

En FACE de (Opposite)

En DEHORS de (Outside)

À TRAVERS (Through)

Adverbes: Adverbs

```
T S N E A T N E M M E D U R P
Â D T P O U R Q U O I Â S X S
O T N E M E C U O D R M U T È
G U E A E R O C N E V A L N R
A M M Y U À T L G Ê Ô I P E P
É V I V Z Q T N N I Q N T M A
O O A F X Ô A M U L D T Z E T
À P R N T R S H Q J E E S I O
G C V N T È D I A U M N R A U
Y I E É R R C M M A A A C G J
Z I S T U I A R O D I N Ô È O
B À Î O T I Î É E I N T E T U
Ê À J K S E P D U I N A S V R
É U S E M A I N E S H S Ê Y S
A T U O T R A P T S R O H E D
```

APRÈS (After)

AVANT (Before)

JAMAIS (Never)

MAINTENANT (Now)

BIENTÔT (Soon)

AUJOURD'HUI (Today)

DEMAIN (Tomorrow)

À CETTE époque (Then)

Toutes les SEMAINES (Weekly)

QUAND (When)

HIER (Yesterday)

DOUCEMENT (Quietly)

VITE (Quickly)

GAIEMENT (Happily)

À L'ÉTRANGER (Abroad)

PLUS (More)

TOUJOURS (Always)

MOINS (Less)

ICI (Here)

DEHORS (Outside)

DEDANS (Inside)

POURQUOI (Why)

VRAIMENT (Really)

TRÈS (Very)

PRUDEMMENT (Carefully)

PARTOUT (Everywhere)

ENCORE (Still)

Les voyages: Travel

Ê	N	O	I	G	É	R	É	F	E	R	U	T	A	N
L	A	N	G	U	E	T	E	N	D	R	O	I	T	Ê
S	Ù	Â	A	M	N	A	X	Ü	P	K	S	E	E	S
É	Ï	E	O	S	E	M	S	I	R	U	O	T	C	R
T	Ù	I	R	R	E	T	Û	O	G	R	A	R	T	È
I	N	Ù	Ç	U	A	V	G	A	U	I	E	Û	S	À
S	E	R	I	O	T	S	I	H	E	R	Ù	Y	E	E
I	F	Z	M	D	O	L	Ë	T	T	V	A	E	U	L
V	Œ	E	U	V	Q	U	N	R	U	Ü	L	Q	B	
Û	Ç	N	V	Y	E	O	O	C	J	O	E	B	L	A
P	J	E	S	L	O	C	Y	Y	Ê	C	P	I	H	É
Z	N	J	Ê	D	N	S	U	A	E	É	Z	S	O	R
T	N	E	M	E	R	A	R	E	G	D	Â	S	Û	G
A	P	P	R	E	N	D	R	E	U	E	É	O	S	A
A	I	M	E	R	I	E	Z	V	O	U	S	P	Ô	Ï

Vous voyagez *SOUVENT* ?
(Do you travel often?)
Je voyage *RAREMENT*.
(I travel rarely.)
Je *VOYAGE* de temps en temps.
(I travel occasionally.)
Je voyage aussi souvent que *POSSIBLE*.
(I travel as much as I can.)
Quels pays avez-vous *VISITÉS* ?
(Which countries have you visited?)
Je suis *ALLÉ* au / en …
(I have been to …)
Quel est l'endroit le plus *AGRÉABLE* où vous soyez allé / allée ?
(Where is the best place you have been?)

Quel est l'endroit le moins agréable où vous *SOYEZ* allé / allée ? (Where is the worst place you have been?)
L'*ENDROIT* le plus agréable que j'aie visité est …
(The best place I have visited is …)
L'endroit le *MOINS* agréable que j'aie visité est …
(The worst place I have visited is …)
QU'EST-CE que vous aimez faire en voyage ?
(What do you like to do when you travel?)
J'aime faire du *TOURISME*.
(I like to see the sights.)
J'aime *DÉCOUVRIR* la *CULTURE* du pays. (I like to learn about the culture.)

J'aime découvrir l'*HISTOIRE* du pays. (I like to learn about the history.)
J'aime *GOÛTER* les plats de la *RÉGION*.
(I like to try the local cuisine.)
J'aime *APPRENDRE* la *LANGUE*. (I like to learn the language.)
J'aime *RENCONTRER* des gens. (I like to meet the people.)
J'aime voir la *NATURE*.
(I like to see nature.)
J'aime faire des activités *SPORTIVES*. (I like to do sporting activities.)
Quel endroit *AIMERIEZ-VOUS* visiter ? (Where would you like to visit?)

Prénoms français: French Names

```
É C É A Ê L I L O U C D J L Ë
C L O A S E K O M A T H É O O
W A L Œ E I Î U N O N A M L Ü
H R H Ç L R V A L U C I E O Ü
G A C I U B K N Ç Ê A R T U Û
Ù R R H J A W E Ô N D Ù T I Q
X A C A A G T M I N Â E E S O
Œ P L L S R T L A Ë B L I É U
H H E Ô É I L X O X I L L E A
U A A N M M E O Z U I I U C E
G Ë Ë É Z L E J T O N M J N I
O L O G A S I N L T É A E E R
E E R B M A V É T H E C P X A
Ô A N T O I N E D L I H T A M
Ç V Ü Ô B A P T I S T E F M M
```

ALEXANDRE	HUGO	LUCIE
AMBRE	JULES	MANON
ANTOINE	JULIETTE	MARIE
BAPTISTE	LÉA	MATHÉO
CAMILLE	LÉNA	MATHILDE
CHARLOTTE	LÉO	MAXENCE
CHLOÉ	LILOU	MAXIME
CLARA	LINA	RAPHAËL
CLÉMENT	LOUANE	SARAH
ÉVA	LOUIS	TIMÉO
GABRIEL	LOUNA	ZOÉ

En avion: Air Travel

14

```
Ô Q E V É C O N O M I Q U E T
D B T Ç L A N I M R E T Â T N
J R R C Ë T S Â Ü À P Û L N E
T À A V H Ô T E S S E Ê Ê E M
R J C T Ï A Ô E R X L L Œ E E
O Ù B G E N R E G I S T R E R
P C I N O R V I V K A X A U T
E D L D O U P R O Î Ù F R Q S
S U L È O C A M È T T D F R I
S T E R È I M E R P S R Z A G
A Y T À S I S E G A G A B B E
P F À O T T Ù L V E O W Â M R
Ê R N À D É P A R T S E F E N
G E A R R I V É E S G T O S E
Œ E Û N I O S E B A D S D B C
```

Je dois aller à quel *TERMINAL* ?
(What terminal do I need?)

Où est l'*ENREGISTREMENT* ?
(Where do I check in?)

Où sont les *ARRIVÉES* ?
(Where is the arrivals hall?)

Où sont les *DÉPARTS* ?
(Where is the departures hall?)

Où est la porte d'*EMBARQUEMENT* ?
(Where is the boarding gate?)

J'ai un billet classe *ÉCONOMIQUE*.
(My seat is in economy.)

J'ai un billet classe *AFFAIRES*.
(My seat is in business class.)

J'ai un billet *PREMIÈRE* classe.
(My seat is in first class.)

Voici mon *PASSEPORT*.
(Here is my passport.)

Voici mon *BILLET*.
(Here is my ticket.)

Voici ma *CARTE* d'embarquement.
(Here is my boarding pass.)

Voici mes *BAGAGES*.
(Here is my luggage.)

J'ai des bagages à *ENREGISTRER*.
(I have luggage to check.)

Le *DUTY FREE* (Duty free)

La *LIVRAISON* des bagages
(Baggage claim)

Le *STEWARD* / l'*HÔTESSE* de l'air (f) (Flight attendant)

Le vol a-t-il du *RETARD* ?
(Is the flight delayed?)

Où sont les *CHARIOTS* ?
(Where are the carts?)

Je ne *TROUVE* pas mes bagages. (I cannot find my luggage.)

J'ai *BESOIN* d'aide.
(I need assistance.)

Les déplacements: Getting Around

```
P R O C H A I N L Â F T D A T
Ü Z E N M A R H I U R À C C C
T E R R E T A R D A M E K H O
E V S I M P L E M Ê R Z R E M
L U V Ô Ô J R S S D Û T U T B
L O I O Î N I E N S R Ù O E I
I P Ë Y I A Q E M E A X T R E
B Û P E R T C À V I Ê P E S N
Ü Ê R D Ê S U R M P È U R A E
H E U R E À E R R S Q R R M A
Ê O Œ D D S A E E A U K E B V
V É S Ç É A M G A R E K L R I
Ü M A R R I V E R A L Ê L I O
Ë I D T E K C I T A L L A E N
Ô H O R A I R E S Î E Î Ù T Y
```

Un *BILLET*, s'il vous plaît.
(One ticket, please.)

À *QUELLE* heure passe le
PROCHAIN bus ?
(What time is the next bus?)

À quelle *HEURE* part le train ?
(What time is the train?)

À quelle heure *PASSE* le
prochain *TRAM* ?
(What time is the next tram?)

Est-ce que je peux *RÉSERVER*
un billet d'*AVION* ?
(Can I book a flight?)

Est-ce que je peux louer une
VOITURE ?
(Can I hire a car?)

Vous *POUVEZ* me faire signe
quand on *ARRIVERA* à … ?
(Can you tell me when we
get to …?)

À quelle heure passe le
PREMIER bus ?
(What time is the first bus?)

À quelle heure part le
DERNIER train ?
(What time is the last train?)

Nous aurons combien de
RETARD ?
(How long will we be
delayed?)

Je *VOUDRAIS* descendre à …
(I would like to get off at …)

Je veux *DESCENDRE* ici.
(I want to get off here.)

C'est *COMBIEN* ?
(How much is it?)

Où puis-je *ACHETER* un
TICKET ?
(Where can I buy a ticket?)

Un aller *SIMPLE*
(A one-way ticket)

Un *ALLER-RETOUR* (Return)

De *PREMIÈRE* classe
(First-class)

Vous avez les *HORAIRES* ?
(Do you have a timetable?)

C'est le *TRAIN* de … ?
(Is this the train to …?)

La douane: Border Crossing

```
Ô E É X I F A R P V H A Î Z Û
A S L Ü B Ê Ü S J S A I Ç C R
E U U Ô J E R È I N A U O D E
I O E A R R E F J V Ü M Û N R
V V S A P T S E N A P Z L B A
L Z A P N O N R E R L Q U T L
I E M C R Î V O E T J A K H C
A V O O A O Z N C I Û O G R É
V U Ë Ï I N D T S C N Ê U E D
A O Ô C F S C Ê Ê L P A N R N
R P I J C Ê Y E Ê Ê È À U L S
T U Û X W V A I S S X G O O I
P A S S E P O R T Z H G R Ë D
E N A U O D Ü R E S E E Â X A
Ü Y K P I B D T R A P É D R D
```

La *DOUANE* (Customs)

Le *DOUANIER* /
la *DOUANIÈRE*
(Customs official)

Le *CONTRÔLE* des passeports
(Passport control)

Je suis ici pour … *JOURS*.
(I am here for … days.)

Je n'ai pas *FIXÉ* la date de mon
DÉPART.
(I do not have a planned
departure date.)

Votre *PASSEPORT* / visa,
s'il vous plaît.
(Your passport/visa, please.)

VOICI mon passeport / *VISA*.
(Here is my passport/visa.)

Je *VAIS* à …
(I am going to …)

Je suis ici pour mon *TRAVAIL*.
(I am here on business.)

Je suis ici en *VACANCES*.
(I am here on holiday.)

Je *LOGE* à …
(I'm staying at …)

Je n'ai rien à *DÉCLARER*.
(I have nothing to declare.)

J'ai des *ARTICLES* à déclarer.
(I have something to
declare.)

C'est à *MOI*.
(That is mine.)

Ce *N'EST PAS* à moi.
(That is not mine.)

Je ne *COMPRENDS* pas.
(I do not understand.)

POUVEZ-VOUS m'aider ?
(Can you help me?)

La route à suivre: Directions

```
P R Œ Ù Z P J Q Ê E X J Z G À
P L E Ï I É F A C E H B E P Y
A R A I S T Â H V U H C V E U
R D E N A Ô Q D S R À S U I Ë
L A O N I C X E E Ç A È O A Q
À B L U D O N E C V E R P E G
È R P L E R L À O E A P Ê X N
Â Ï A Ë E S E È Ë R I N T C E
V A X N G R A C J E D Z T U S
B Î Ù U O W À E Z O E È Ê S T
I P I W X R T P X R R Œ N E P
N C O Ë O I I Ë I D I F T Z A
I T Y T O D È V Z E B À Y M S
O K U R S W O Q N B D T U O T
C S D E R R I È R E È Î Ù I S
```

EXCUSEZ-MOI.
 (Excuse me.)

Vous pouvez m'*AIDER* ?
 (Can you help me?)

Le / la … est *PAR LÀ* ?
 (Is this the way to the …?)

C'est *LOIN* ?
 (Is it far?)

On peut y *ALLER À PIED* ?
 (Is it within walking
 distance?)

Ce *N'EST PAS* loin.
 (It is not far away.)

C'est à 10 minutes *ENVIRON*.
 (It is about 10 minutes.)

Il faut *PRENDRE* le bus.
 (You need to take a bus.)

Vous *POUVEZ* me montrer sur
 le *PLAN* ?
 (Can you show me on the
 map?)

DERRIÈRE …
 (Behind …)

ICI (Here)

DEVANT …
 (In front of …)

À *GAUCHE* (Left)

À *DROITE* (Right)

PRÈS (Near)

À *CÔTÉ* de …
 (Next to …)

En *FACE* de …
 (Opposite …)

TOUT droit
 (Straight ahead)

Le *COIN* (Corner)

La location de voitures et de vélos: Car and Bike Rental

```
Y E H Â E R U T I O V È L E S
L R U Ô P Ï A P Z Â E É Œ È C
O C I Q E Â Œ M A N U E L L E
S S O O S U Q L O C A T I O N
E I I M T A Q F O D M M G È K
C È R M P P C I R O A S U B I
N G E S R R M Ô T T T T A L L
A E T U C E I O I A N I O C O
R E O G E M P S C C M V Ë O M
U N O B Ù N A Q E Â I O U N É
S F C D Y T P Î S T S Ï T D T
S A S D I E O W N R F H P U R
A N K O R Û M A D D U B É I A
C T N À X Œ P Ç R Û H O C R G
Ë S À G K N E I B M O C J E E
```

Où est le *COMPTOIR* de *LOCATION* de voitures ?
(Where is the car rental desk?)

Je voudrais louer une *VOITURE*.
(I would like to rent a car.)

Je voudrais louer une *MOTO*.
(I would like to rent a motorcycle.)

Je voudrais louer un *VÉLO*.
(I would like to rent a bicycle.)

Je voudrais louer un *SCOOTER*.
(I would like to rent a scooter.)

Pour … *JOURS*. (For … days.)

Je voudrais une *AUTOMATIQUE*.
(I would like an automatic.)

Je voudrais une *MANUELLE*.
(I would like a manual transmission.)

Est-ce qu'il y a la *CLIMATISATION* ?
(Does it have air conditioning?)

C'est *COMBIEN* ?
(How much does it cost?)

Est-ce que le *KILOMÉTRAGE* illimité est compris ?
(Does that include mileage?)

Est-ce que L'*ASSURANCE* est *COMPRISE* ?
(Does that include insurance?)

Voici mon *PERMIS* de *CONDUIRE*.
(Here is my permit to drive.)

Vous avez un *CASQUE* de vélo ? (Do you have a cycle helmet?)

Vous avez un *ANTIVOL* ?
(Do you have a lock?)

Vous avez une *POMPE* ?
(Do you have a pump?)

Vous avez un *SIÈGE ENFANT* ?
(Do you have a child seat?)

Le sud de la France: The South of France

```
À N I R A M R U O L P Â E O L
É E E R S Ë N E R A S G V E E
J É L B È A Ô L N Y N E A È I
S G I L E N N O S S A C R A C
A C F B I S R E S E S I B M R
I Z N À L E I Ù Z E M N E A U
N H Z O T A S S B É D Î L R S
T L Y S T Z M R S H P R N T S
T E I È Ü N E È A A V Î O I E
R S A K R N E C È M C V L G D
O T Ë N É E M M A Z H E L U R
P A U M G A S S I N E I I E O
E Q E T È S E B I T N A R S C
Z U A R L E S É Ô Ü T E C Y Œ
S E I L L A N S È S A K S E C
```

ALBI	GASSIN	NICE
ANTIBES	GORDES	NÎMES
ARLES	HYÈRES	PÉZENAS
CANNES	L'ESTAQUE	SAINT-TROPEZ
CARCASSONNE	LOURMARIN	SEILLANS
CASSIS	MARSEILLE	SÈTE
CORDES-SUR-CIEL	MARTIGUES	SISTERON
CRILLON-LE-BRAVE	MÉNERBES	
ÈZE	MENTON	

Les différentes parties d'une voiture: Parts of a Car

```
E E M O T E U R F C G T É B Ù
R S V Â E R T Ê N E F M A P N
A S I Y Ç Ç À O S Â U L R E E
H U T H A S X A P É L X R S É
P I E Z N A I O T U À È I B C
S E S D L R I I M Î I È T E H
C G S K B G R A G T G O E R A
O L E A N U G A R E P D S U P
H A G É C E O O M A R Û S T P
C C E É R S P É C O E T E E E
E E S O V N È R B À R N R M M
R S U Y O I F É N Z F A T R E
A E E I R E T T A B F L É E N
P A R E B R I S E K O O D F T
J P E G A F F U A H C V Ç Ç Ï
```

Le *COFFRE* (Trunk/boot)

Le pot d'*ÉCHAPPEMENT* (Exhaust)

La *ROUE* (Wheel)

La *PORTIÈRE* (Door)

Le *MOTEUR* (Engine)

Le *PARE-BRISE* (Windshield)

Le *CAPOT* (Hood/bonnet)

Le *PHARE* (Headlight)

Le *PARE-CHOCS* (Bumper)

La ceinture de *SÉCURITÉ* (Seatbelt)

La *POIGNÉE* (Handle)

Le *SIÈGE* avant (Front seat)

La *FERMETURE* des portières (Door lock)

L'*AIRBAG* (m) (Airbag)

La *STÉRÉO* (Stereo)

La *BATTERIE* (Battery)

La *FENÊTRE* (Window)

Le *CHAUFFAGE* (Heater)

Les feux de *DÉTRESSE* (mpl) (Hazard lights)

Le compteur de *VITESSE* (Speedometer)

Le tableau de *BORD* (Dashboard)

Le *KLAXON* (Horn)

Le *VOLANT* (Steering wheel)

Les *FEUX* (mpl) (Lights)

Les *ESSUIE-GLACES* (mpl) (Wipers)

Les *FREINS* (mpl) (Brakes)

L'*ALLUMAGE* (m) (Ignition)

En voiture: Driving

```
S T Ù T S U O V Z E V U O P E
Ï N Ï N N E G A S S A P B É P
E E C E I N T E R D I T R Ù R
Ü M É M A C C I D E N T Ü E N
Z E D E É R Û T Ç À N E R R O
E N E S Ü C J Q O E T A C I I
G N Z S E V A Ô E U G F S T T
E O E I L E É N O G Ç I G N A
G I H D I H S R I P A N N E T
A T C I U B Ü S I C E É Ü L I
R A O O H E B È E F I L P A M
A T R R I S Ê Ù X T I E K R I
G S P F T O K È A Ü I E N M L
Ù Z Z E L I Q U I D E V R V Q
Ù Â T R É N D É V I A T I O N
```

C'est la *ROUTE* de … ?
  (Is this the road to …?)

Où est le *GARAGE* le plus
  PROCHE ?
  (Where is the nearest
  garage?)

POUVEZ-VOUS vérifier
  L'HUILE ?
  (Can you check the oil?)

Pouvez-vous *VÉRIFIER*
  le *LIQUIDE* de
  REFROIDISSEMENT ?
  (Can you check the coolant?)

Je peux me *GARER* ici ?
  (Can I park here?)

J'ai *BESOIN* d'un
  MÉCANICIEN.
  (I need a mechanic.)

Je suis en *PANNE.*
  (The car has broken down.)

J'ai eu un *ACCIDENT.*
  (I have had an accident.)

Quelle est la *LIMITATION* de
  VITESSE ?
  (What is the speed limit?)

ENTRÉE (Entrance)

STATIONNEMENT interdit
  (No parking)

CÉDEZ le *PASSAGE*
  (Yield/Give way)

DÉVIATION (Detour)

RALENTIR (Slow down)

PÉAGE (Toll)

Sens *INTERDIT* (No entry)

Le logement: Accommodation

```
Ô C S A D A P E É T P A D A S
P Ë Ô T O Ô E R S P U O E R J
J E L A I L I M A F H Ô T E L
R E O P T U Ë C O M P L E T S
H E U Q E E N I A M E S D G P
V A L N N R K S Î Â I Q É N E
R U N L E J S A U C Î S S I N
E B N D I S N O I R D O P S
R E C À I E S D N N V G L M I
É R H Y I C S E E Œ Z É A O
B G A B J È A N D R E Û E C N
I E M Z R V G P O Ï U W U V Y
L O B P N N Î S É C D E U X A
C Y R F T L T L P S Ô S H A S
X Ô E R É S E R V É A U P L H
```

Nous logeons dans un *GÎTE*. (We are staying in a holiday rental.)

Pouvez-vous m'indiquer un *CAMPING* ? (Can you tell me where there is a campsite?)

Pouvez-vous m'indiquer une *PENSION* ? (Can you tell me where there is a guest house?)

Pouvez-vous m'indiquer une *AUBERGE* de *JEUNESSE* ? (Can you tell me where there is a youth hostel?)

Pouvez-vous m'indiquer un *HÔTEL* ? (Can you tell me where there is a hotel?)

Pouvez-vous me *CONSEILLER* un hôtel / une auberge de jeunesse *PRÈS D'ICI* ? (Can you recommend a hotel/a youth hostel nearby?)

AVEZ-VOUS une chambre pour une *PERSONNE* ? (Do you have a single room?)

Avez-vous une *CHAMBRE* pour *DEUX* personnes ? (Do you have a double room?)

Avez-vous une chambre *ADAPTÉE* aux *HANDICAPÉS* ? (Do you have a room adapted for the disabled?)

Avez-vous une chambre *FAMILIALE* ? (Do you have a family room?)

À quelle *HEURE* faut-il *LIBÉRER* la chambre ? (What time is checkout?)

J'ai *RÉSERVÉ*. (I have a reservation.)

Je suis désolé / *DÉSOLÉE*, nous sommes *COMPLETS*. (I am sorry, we are full.)

Pour combien de *NUITS* ? (For how many nights?)

C'est *COMBIEN* la nuit ? (How much is it per night?)

C'est combien la *SEMAINE* ? (How much is it per week?)

À l'hôtel: In the Hotel Room

Il fait trop *CHAUD* dans la chambre.
(The room is too hot.)

Il fait *FROID* dans la chambre.
(The room is too cold.)

La chambre est trop *BRUYANTE*.
(The room is too noisy.)

La chambre est trop *PETITE*.
(The room is too small.)

La chambre est *SALE*.
(The room is dirty.)

La *TÉLÉ* ne *MARCHE* pas.
(The television does not work.)

Le *RADIATEUR* ne marche pas.
(The heater does not work.)

Le *VENTILATEUR* ne marche pas. (The fan does not work.)

La *FENÊTRE* ne s'*OUVRE* pas.
(The window does not open.)

Quel est le *MOT DE PASSE* pour le Wi-Fi ?
(What is the wifi password?)

À quelle heure *DOIS-JE* libérer ma chambre ? (What time do I need to check out?)

Je *PEUX* avoir ma note, *S'IL VOUS PLAÎT* ?
(May I have the bill, please?)

Je *VOUDRAIS* une *CHAMBRE* pour une personne.
(I would like a single room.)

Je voudrais une chambre pour deux *PERSONNES*.
(I would like a double room.)

Je voudrais une chambre *FAMILIALE*.
(I would like a family room.)

Le *NUMÉRO* de la chambre (Room number)

La *CLÉ* (Key)

Le *SÈCHE-CHEVEUX* (Hairdryer)

Les *DRAPS* et les *COUVERTURES* (mpl) (Bedding)

Le *TRAVERSIN* (Pillow)

Le camping: Camping

Où est le *CAMPING* le plus *PROCHE* ? (Where is the nearest campsite?)

On peut *CAMPER* ici ? (Can we camp here?)

Je peux me *GARER* à *CÔTÉ* de ma *TENTE* ? (Can I park next to my tent?)

Vous avez des *EMPLACEMENTS* libres ? (Do you have any vacancies?)

C'est *COMBIEN* la *NUIT* ? (What is the charge per night?)

C'est combien par *SEMAINE* ? (What is the charge per week?)

Est-ce que L'*ÉLECTRICITÉ* est *COMPRISE* ? (Does the price include electricity?)

Est-ce que l'eau *CHAUDE* est comprise ? (Does the price include hot water?)

Nous *COMPTONS* rester … *JOURS*. (We are planning to stay for … days.)

Où sont les *TOILETTES* ? (Where are the restrooms?)

Où dois-je *METTRE* mes *ORDURES* / mon *RECYCLAGE* ? (Where should I put my garbage/recycling?)

Est-ce qu'il y a des *DOUCHES* ? (Are there showers?)

Est-ce qu'il y a une *LAVERIE* ? (Are there laundry facilities?)

Est-ce que vous *LOUEZ* des tentes ? (Are there tents for rent?)

Est-ce qu'il y a un *MAGASIN* ? (Is there a store?)

Est-ce qu'il y a une *PISCINE* ? (Is there a swimming pool?)

Est-ce que je pourrais *EMPRUNTER* un / une … ? (Could I borrow a/an …?)

Les courses: Shopping

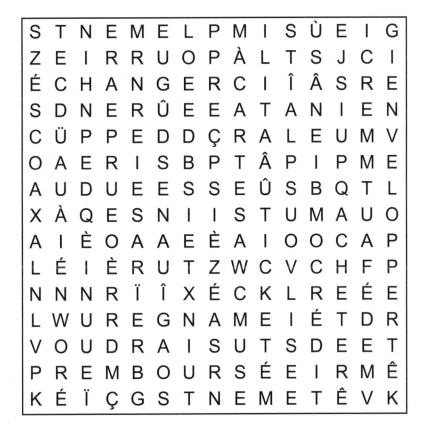

S	T	N	E	M	E	L	P	M	I	S	Ù	E	I	G
Z	E	I	R	R	U	O	P	À	L	T	S	J	C	I
É	C	H	A	N	G	E	R	C	I	Î	Â	S	R	E
S	D	N	E	R	Û	E	E	A	T	A	N	I	E	N
C	Ü	P	P	E	D	D	Ç	R	A	L	E	U	M	V
O	A	E	R	I	S	B	P	T	Â	P	I	P	M	E
A	U	D	U	E	E	S	S	E	Û	S	B	Q	T	L
X	À	Q	E	S	N	I	I	S	T	U	M	A	U	O
A	I	È	O	A	A	E	È	A	I	O	O	C	A	P
L	É	I	È	R	U	T	Z	W	C	V	C	H	F	P
N	N	N	R	Ï	Î	X	É	C	K	L	R	E	É	E
L	W	U	R	E	G	N	A	M	E	I	É	T	D	R
V	O	U	D	R	A	I	S	U	T	S	D	E	E	T
P	R	E	M	B	O	U	R	S	É	E	I	R	M	Ê
K	É	Ï	Ç	G	S	T	N	E	M	E	T	Ê	V	K

Où y *A-T-IL* un / une … ?
(Where is a …?)

Où *PUIS-JE* acheter des *CADEAUX* ?
(Where can I buy gifts?)

Où puis-je acheter à *MANGER* ?
(Where can I buy food?)

Où puis-je *ACHETER* des *VÊTEMENTS* ?
(Where can I buy clothing?)

C'est *COMBIEN* ?
(How much is this?)

Je *VOUDRAIS* acheter …
(I would like to buy …)

Je regarde *SIMPLEMENT*.
(I am just looking.)

Je *POURRAIS* avoir un sac, *S'IL VOUS PLAÎT* ?
(Could I have a bag, please?)

MERCI, je n'ai pas *BESOIN* du *TICKET* de *CAISSE*.
(I do not need a receipt, thanks.)

Vous *POURRIEZ* me *L'ENVELOPPER* ?
(Could I have it wrapped?)

Il y a un *DÉFAUT*.
(It is faulty.)

Je *PEUX* payer en *LIQUIDE* ?
(Can I pay with cash?)

Vous *PRENEZ* les *CARTES* de *CRÉDIT* ?
(Do you accept credit cards?)

Je vous le / la *RENDS*.
(I would like to return it.)

Je voudrais *ÊTRE* remboursé / *REMBOURSÉE*, s'il vous plaît.
(I would like my money back, please.)

Je voudrais *ÉCHANGER* ceci.
(I would like to exchange this.)

Les magasins: Stores and Amenities

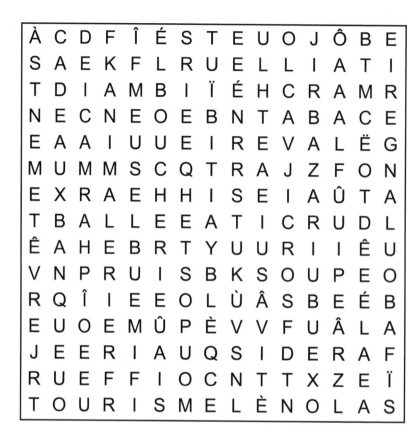

À	C	D	F	Î	É	S	T	E	U	O	J	Ô	B	E
S	A	E	K	F	L	R	U	E	L	L	I	A	T	I
T	D	I	A	M	B	I	Ï	É	H	C	R	A	M	R
N	E	C	N	E	O	E	B	N	T	A	B	A	C	E
E	A	A	I	U	U	E	I	R	E	V	A	L	Ë	G
M	U	M	M	S	C	Q	T	R	A	J	Z	F	O	N
E	X	R	A	E	H	H	I	S	E	I	A	Û	T	A
T	B	A	L	L	E	E	A	T	I	C	R	U	D	L
Ê	A	H	E	B	R	T	Y	U	U	R	I	I	Ê	U
V	N	P	R	U	I	S	B	K	S	O	U	P	E	O
R	Q	Î	I	E	E	O	L	Ù	Â	S	B	E	É	B
E	U	O	E	M	Û	P	È	V	V	F	U	Â	L	A
J	E	E	R	I	A	U	Q	S	I	D	E	R	A	F
R	U	E	F	F	I	O	C	N	T	T	X	Z	E	Ï
T	O	U	R	I	S	M	E	L	È	N	O	L	A	S

Le *MARCHÉ* (Market)

La *BANQUE* (Bank)

La *POSTE* (Post office)

L'*ÉPICERIE* (f) (Grocery store)

La *BOULANGERIE* (Bakery)

L'épicerie *FINE* (f) (Delicatessen)

La *BOUCHERIE* (Butcher)

La *LIBRAIRIE* (Bookstore)

Le magasin de *MEUBLES* (Furniture store)

Le bureau de *TABAC* (Tobacconist)

Le magasin de *CHAUSSURES* (Shoe store)

La *BOUTIQUE* (Boutique)

La *PHARMACIE* (Pharmacy)

Le *TAILLEUR* (Tailor)

La boutique de *CADEAUX* (Gift shop)

Le *BAZAR* (General store)

Le *CAFÉ* (Café)

Le *BAR* (Bar)

L'office de *TOURISME* (m) (Tourist information)

La *LAVERIE* (Laundrette)

Le *SALON* de coiffure (Hairdresser)

Le *COIFFEUR* pour hommes (Barber)

L'*ANIMALERIE* (f) (Pet shop)

Le magasin de *VÊTEMENTS* (Clothes store)

Le *FLEURISTE* (Florist)

Le magasin de *JOUETS* (Toy shop)

Le *DISQUAIRE* (Music shop)

À la quincaillerie: At the Hardware Store

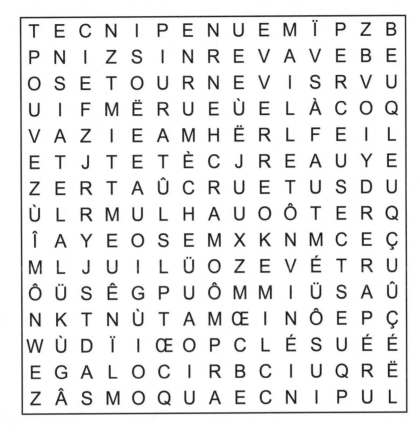

T	E	C	N	I	P	E	N	U	E	M	Ï	P	Z	B
P	N	I	Z	S	I	N	R	E	V	A	V	E	B	E
O	S	E	T	O	U	R	N	E	V	I	S	R	V	U
U	I	F	M	Ë	R	U	E	Ù	E	L	À	C	O	Q
V	A	Z	I	E	A	M	H	Ë	R	L	F	E	I	L
E	T	J	T	E	T	È	C	J	R	E	A	U	Y	E
Z	E	R	T	A	Û	C	R	U	E	T	U	S	D	U
Ù	L	R	M	U	L	H	A	U	O	Ô	T	E	R	Q
Î	A	Y	E	O	S	E	M	X	K	N	M	C	E	Ç
M	L	J	U	I	L	Ü	O	Z	E	V	É	T	R	U
Ô	Ü	S	Ê	G	P	U	Ô	M	M	I	Ü	S	A	Û
N	K	T	N	Ù	T	A	M	Œ	I	N	Ô	E	P	Ç
W	Ù	D	Ï	I	Œ	O	P	C	L	É	S	U	É	É
E	G	A	L	O	C	I	R	B	C	I	U	Q	R	Ë
Z	Â	S	M	O	Q	U	A	E	C	N	I	P	U	L

Le *BRICOLAGE* (DIY)

Les *OUTILS* (mpl) (Tools)

Vous avez *QUELQUE* chose
   pour … ?
   (Have you got anything
   for …?)

QU'EST-CE qu'il me faut pour
   RÉPARER … ?
   (What would I need to
   fix …?)

Vous *POUVEZ* m'aider ?
   (Can you help me?)

C'est *EXACTEMENT* ce qu'il
   me faut.
   (That is just what I need.)

COMMENT ça *MARCHE* ?
   (How does this work?)

Il me *FAUT* un *MARTEAU*.
   (I need a hammer.)

Le *MAILLET* (Mallet)

La *SCIE* (Saw)

La *CLÉ* (Spanner)

Le *TOURNEVIS*
   (Screwdriver)

Le *PAPIER* de *VERRE*
   (Sandpaper)

La *LIME* (File)

Les *CLOUS* (mpl)
   (Nails)

UNE PINCE
   (A pair of pliers)

La *PERCEUSE* (Drill)

La *MÈCHE* de perceuse
   (Drill bit)

Le *CISEAU* (Chisel)

Le *PINCEAU*
   (Paintbrush)

Le *VERNIS* (Varnish)

Chez le coiffeur / Au salon de beauté:
At the Hairdresser/Salon

S	N	I	F	O	N	G	L	E	S	Ë	S	Ô	Ü	M
Q	G	S	S	C	O	I	F	F	E	U	R	Ü	Q	S
R	S	O	È	È	A	S	È	Ê	O	À	S	C	E	S
E	L	N	P	R	C	Z	E	V	U	O	P	M	L	B
L	I	D	S	R	T	H	Z	H	E	P	M	P	O	R
I	C	U	É	B	E	E	E	T	C	O	C	R	N	U
P	R	L	S	A	I	L	S	C	H	È	F	E	G	S
É	U	É	I	R	Z	U	L	Z	H	Ç	M	N	U	H
T	O	S	R	B	J	P	R	I	F	E	M	D	E	I
Ï	S	U	F	E	É	T	Ô	C	A	A	V	R	U	N
J	O	Ï	J	S	E	R	V	I	E	T	T	E	R	G
P	A	S	U	O	V	Z	E	L	U	O	V	Ë	U	G
Q	U	S	I	L	V	O	U	S	P	L	A	Î	T	X
R	A	F	R	A	Î	C	H	I	S	S	I	E	Z	Z
L	E	P	U	O	C	O	I	F	F	E	U	S	E	Ï

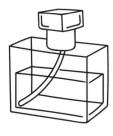

Le *SÈCHE-CHEVEUX*
(Hairdryer)

La *COUPE* de cheveux
(Hairstyle)

La *SERVIETTE* chaude
(Hot towel)

Le *COIFFEUR* / la *COIFFEUSE*
(Hairdresser)

Le coiffeur pour *HOMMES*
(Barber)

Je voudrais une raie sur le
CÔTÉ.
(I would like a side parting.)

Je voudrais des *MÈCHES*.
(I would like highlights.)

Je voudrais que vous me
RAFRAÎCHISSIEZ ma
coupe. (I would like a trim.)

POURRIEZ-VOUS me couper
les cheveux ?
(I would like a haircut.)

Je voudrais un *BRUSHING*.
(I would like a blow dry.)

Pourriez-vous me *TAILLER*
la *BARBE* ?
(Could you trim my beard?)

J'ai les cheveux *FRISÉS*.
(I have curly hair.)

J'ai les cheveux *FINS*.
(I have fine hair.)

J'ai les cheveux *ONDULÉS*.
(I have wavy hair.)

J'ai les cheveux *SECS*.
(I have dry hair.)

Vous pouvez m'*ÉPILER* les
SOURCILS ?
(Can you do my eyebrows?)

Vous *POUVEZ* me faire les
ONGLES ?
(Can you do my nails?)

Quelle *LONGUEUR*
VOULEZ-VOUS ?
(How short would you like
it?)

Je les voudrais *TRÈS* courts.
(I'd like it very short.)

JUSTE rafraîchis.
(Just a little off.)

Je voudrais *PRENDRE* rendez-
vous, *S'IL VOUS PLAÎT*.
(I would like an appointment,
please.)

Les vêtements: Clothes

```
C À S E T T E S S U A H C T Ù
A S T É À N V T Ç G G I L E T
P I E L L I U E F E T R O P E
U M S Ç K A A B S E S T N A G
C P C O H M È B E T U Î C N M
H E H J U P O S Ê É E H Ë T Ê
E R A U Ê T H S E L A D N A S
M M U P T I I O C P S V Ê L H
I É S E R È S E E O R P I O O
S A S T É J E A N P S N O N R
E B U Q Î N U X Ï G U T Ç R T
O L R O B E L Â H C O L U M T
É E E D É C H A R P E R L M U
X R S V Ê T E M E N T S G L E
M A N T E A U E R U T N I E C
```

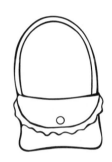

Le *JEAN* (Jeans)

Les *CHAUSSURES* (fpl) (Shoes)

Les talons *HAUTS* (mpl) (High heels)

Les chaussures de *SPORT* (fpl) (Sports shoes)

Les *BOTTES* (fpl) (Boots)

Le *PANTALON* (Trousers)

La *JUPE* (Skirt)

La *ROBE* (Dress)

La *VESTE* (Jacket)

Le *MANTEAU* (Coat)

Le *PULL* (Sweater)

Le *GILET* (Cardigan)

La *CAPUCHE* (Hood)

Les *CHAUSSETTES* (fpl) (Socks)

Le *SOUTIEN-GORGE* (Bra)

La *CEINTURE* (Belt)

Le sac à *MAIN* (Handbag)

Le *CHAPEAU* (Hat)

Les *GANTS* (mpl) (Gloves)

Le *PORTEFEUILLE* (Wallet)

Le *COSTUME* (Suit)

La *CHEMISE* (Shirt)

Le *TEE-SHIRT* (T-shirt)

Le *SHORT* (Shorts)

Les *SANDALES* (fpl) (Sandals)

L'*ÉCHARPE* (f) (Scarf)

L'*IMPERMÉABLE* (m) (Raincoat)

Le *CHÂLE* (Shawl)

Les *VÊTEMENTS* (mpl) (Clothing)

Communications: Communications

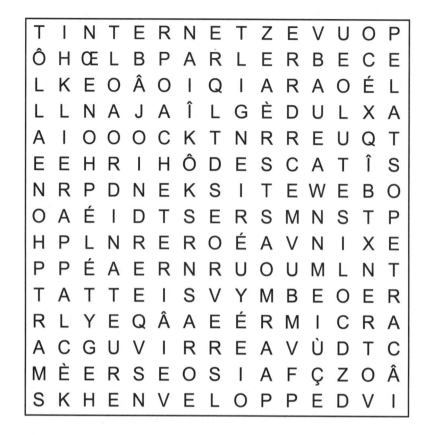

```
T I N T E R N E T Z E V U O P
Ô H Œ L B P A R L E R B E C E
L K E O Â O I Q I A R A O É L
L L N A J A Î L G È D U L X A
A I O O O C K T N R R E U Q T
E E H R I H Ô D E S C A T Î S
N R P D N E K S I T E W E B O
O A É I D T S E R S M N S T P
H P L N R E R O É A V N I X E
P P É A E R N R U O U M L N T
T A T T E I S V Y M B E O E R
R L Y E Q Â A E É R M I C R A
A C G U V I R R E A V Ù D T C
M È E R S E O S I A F Ç Z O Â
S K H E N V E L O P P E D V I
```

Je voudrais *ACHETER* des *TIMBRES*, s'il vous plaît.
(I would like to buy some stamps, please.)

Je voudrais *ENVOYER* ceci par *AVION*.
(I would like to send this airmail.)

Il me faut une *ENVELOPPE*.
(I need an envelope.)

Je voudrais une *CARTE POSTALE*.
(I would like a postcard.)

Le *COLIS* (Package)

Le *COURSIER* (Courier)

La *BOÎTE* aux lettres électronique (Email inbox)

Qui est à *L'APPAREIL* ?
(Who is speaking?)

ALLÔ, Julie à l'appareil.
(Hello, this is Julie.)

Je voudrais *PARLER* à …
(I would like to speak to …)

Le *SMARTPHONE*
(Smartphone)

L'*ORDINATEUR* portable (m)
(Laptop)

L'*INTERNET* (m) (Internet)

L'*E-MAIL* (m) (Email)

Le *SITE WEB* (Website)

Les *RÉSEAUX* sociaux (mpl)
(Social media)

Quel est votre *NUMÉRO* de *TÉLÉPHONE* ?
(What is your phone number?)

Quelle est *VOTRE* adresse *ÉLECTRONIQUE* ?
(What is your email address?)

Vous *POUVEZ* me *JOINDRE* au … / à L'*ADRESSE* …
(You can contact me on/at …)

La *LIGNE* est *MAUVAISE*.
(There is a bad connection.)

Massifs et sommets des Alpes françaises:
Mountains and peaks in the French Alps

```
U T N O M Y E V S E R U G I L
O I P M O N G E S N I C E J Y
C J C T A I L L E F E R É S Â
O H H M D C O T T I E N N E S
J Û A A O O E H C N A L B V P
N C M R L Û Ë I J Ï T Z C R E
Ê N E G A D M Ï K Ê Û X A A L
G A C U C E S Ü É C C K S A Y
A L H A R O I G N A I S S S A
L B A R A V E N T O U X E T B
I T U E D A U P H I N É N W C
B N D I C R Ï E É C R E P G I
I O E S A V O I E G R Œ A Œ P
E M E R G È N E R R U O M Ü V
R É N I È H A U T S F O R T S
```

Les Aiguilles d'*ARVES*

La pointe d'*ARCALOD*

CHAMECHAUDE

Les Alpes *COTTIENNES*

Les préalpes du *DAUPHINÉ*

Les Alpes *GRÉES*

Le Grand *GALIBIER*

Le Grand *VEYMONT*

La Grande *CASSE*

La Haute *CIME*

Les *HAUTS-FORTS*

Le *TAILLEFER*

Les *MONGES*

Les Alpes *LIGURES*

Les préalpes de *NICE*

Le *MONT BLANC*

La montagne de *CÉÜSE*

La montagne de *JOCOU*

Le mont *VENTOUX*

Le *MOURRE NÈGRE*

Le *PIC BAYLE*

La pointe *BLANCHE*

La pointe *PERCÉE*

La pointe *MARGUAREIS*

Le puy de *RENT*

Le *ROIGNAIS*

Les préalpes de *SAVOIE*

37

L'argent et la banque: Money and Banking

```
G L D I S T R I B U T E U R C
E S L Î P L I Q U I D E E A Œ
R S I A R D U O V V S G R S F
I G E C O N F I D E N T I E L
A U E O B P U Ü C A E G E R Ë
F I T U L D W È H S N E I V X
E C P B È È I C E E R N D U Ô
R H M L M P T Ü Z R U P E O P
M E O I E Ê H R Y U Z P N M R
E T C É A Û Î Û O P Œ Ç T O O
S U O V Z E I R R U O P I N C
É M A P P E L L E O V Ù T N H
Ë L T B A N Q U E C B E É A E
É S A R G E N T N E M E R I V
B U R E A U D E C H A N G E D
```

Je voudrais *FAIRE* un *VIREMENT*.
(I would like to arrange a transfer.)

Je *VOUDRAIS* du *LIQUIDE*.
(I would like to get cash.)

Je voudrais *CHANGER* de *L'ARGENT*.
(I would like to exchange money.)

POURRIEZ-VOUS me faire la monnaie ?
(I would like to get change for this note.)

Je *M'APPELLE* …
(My name is …)

À quelle heure *OUVRE* / *FERME* la *BANQUE* ?
(When does the bank open / close?)

Où se *TROUVE* le *DISTRIBUTEUR* le plus *PROCHE*?
(Where is the nearest ATM ?)

Il y a un *PROBLÈME* avec votre *COMPTE*.
(There is a problem with your account.)

Je *PEUX* voir une pièce d'*IDENTITÉ*, s'il vous plaît ?
(Can I see your ID, please?)

SIGNEZ ici, s'il vous plaît.
(Please sign here.)

Où est le *BUREAU DE CHANGE* ?
(Where is the foreign exchange?)

J'ai *OUBLIÉ* mon code *CONFIDENTIEL*.
(I've forgotten my PIN.)

Le *GUICHET* a *AVALÉ* ma *CARTE*.
(The ATM took my card.)

Il me faut de la petite *MONNAIE*.
(I need small change.)

Il me faut des grosses *COUPURES*.
(I need big bills.)

Il me faut des *PIÈCES*.
(I need coins.)

Les déplacements professionnels: Business

```
N O I T I S O P X E E R I O F
E P C O N F É R E N C E O H S
A X A Ê M O Y R É J R I Ï T S
D G Y S É J I Ê M M S Â A B U
R O N A S O Ü N E E U G V E O
E À R Ç V É Î É U M E N Î W V
S F X A Ù G Ü L Ü É A J T E Z
S Û M R H Ù E W S Œ R I É T E
E È Ê E Y T E M P S V C L I D
S E U G È L L O C K È I É S N
Y U O N Î R Â S Û Ô Â O P I E
E R I A N I M É S X Î V H O R
G Ü Z M Ê N Ô A V E Z V O U S
Ê Ç Î Ô I L Ù É R C A S N O C
C A R T E D E V I S I T E È Ê
```

Je suis là pour une *CONFÉRENCE*.
(I am attending a conference.)

Je suis là pour un *STAGE*.
(I am attending a course.)

Je vais à une *RÉUNION*.
(I am going to a meeting.)

Je suis là pour une *FOIRE-EXPOSITION*.
(I am visiting a trade fair.)

Je suis là pour un *SÉMINAIRE*.
(I am attending a seminar.)

Je suis avec mes *COLLÈGUES*.
(I am with my colleagues.)

Je suis seul / *SEULE*.
(I am alone.)

J'ai *RENDEZ-VOUS* avec …
(I have an appointment with …)

AVEZ-VOUS une carte de visite ?
(Do you have a business card?)

Voici ma *CARTE DE VISITE*.
(Here is my business card.)

Voici mon *NUMÉRO* de *TÉLÉPHONE*.
(Here is my telephone number.)

VOICI mon adresse *E-MAIL*.
(Here is my email address.)

Voici l'*ADRESSE* de mon *SITE WEB*.
(Here is my website.)

Ça s'est très bien *PASSÉ*.
(That went very well.)

Merci de m'*AVOIR* / nous avoir *CONSACRÉ* un peu de votre *TEMPS*.
(Thank you for your time.)

On va *MANGER* ?
(Shall we go for a meal?)

Les métiers: Occupations

E	D	I	N	F	I	R	M	I	E	R	Ê	Ç	C	S
S	Â	Ë	E	R	U	E	I	N	É	G	N	I	D	S
U	Û	É	È	U	È	N	M	X	E	W	Ô	E	É	K
E	E	Â	J	E	V	I	S	M	M	V	Ü	N	L	J
D	Ü	U	X	T	R	A	A	È	É	W	R	N	E	C
N	G	P	C	L	E	V	V	E	F	D	U	E	C	U
E	S	R	D	U	I	I	O	T	B	S	E	I	T	I
V	O	O	Ï	C	U	R	C	O	Â	E	V	C	R	S
P	L	F	B	I	Q	C	A	L	T	R	R	I	I	I
E	D	E	U	R	N	É	T	I	I	V	E	S	C	N
I	A	S	R	G	A	S	E	P	M	E	S	U	I	I
N	T	S	E	A	B	L	Û	À	E	U	N	M	E	È
T	Î	E	A	S	Â	Ü	T	A	N	S	À	T	N	R
R	I	U	U	R	É	D	A	C	T	E	U	R	Z	E
E	É	R	C	O	M	P	T	A	B	L	E	Q	H	Ê

Le vendeur / la *VENDEUSE* (Shop assistant)

L'*INFIRMIER* / l'infirmière (Nurse)

La *SERVEUSE* (Waitress)

Le *SERVEUR* (Waiter)

Le service *CLIENT* (Customer service)

Le chef de *BUREAU* (Office manager)

Le comptable / la *COMPTABLE* (Accountant)

Le *PROFESSEUR* / la professeure (Teacher)

Le médecin / la *MÉDECIN* (Doctor)

Le *BANQUIER* / la banquière (Banker)

L'entrepreneur en *BÂTIMENT* (m) (Builder)

Le cuisinier / la *CUISINIÈRE* (Chef)

L'*ÉLECTRICIEN* / l'électricienne (Electrician)

L'ingénieur / l'*INGÉNIEURE* (Engineer)

L'*AGRICULTEUR* / l'agricultrice (Farmer)

L'avocat / l'*AVOCATE* (Lawyer)

Le juge / la *JUGE* (Judge)

Le *PEINTRE* / la peintre (Painter)

L'écrivain / l'*ÉCRIVAINE* (Writer)

Le *RÉDACTEUR* / la rédactrice (Editor)

Le musicien / la *MUSICIENNE* (Musician)

Le *PILOTE* / la pilote (Pilot)

Le *SOLDAT* (Soldier)

Au bureau: In the Office

```
É N O I N U É R Y I J E L Î S
F E U C R E I P A P T P Û Ù U
A P A Â Û Ê E R È N Q Ù T R R
C S E R A I R C A L C U L U L
E C R É C E V M C X E N È E I
S C U U V S I E A P E O A T G
U F B N E R L U R Î M Y A A N
E L E Ù P S A M N U P A O N E
F P I M T C S Ô E J L R C I U
A T I A C E E A T A O C C D R
R D S U M S T Y L O Y I U R K
G R E N U E J É D C É B P O Ê
A I J Û T É L É P H O N E C H
L E C I R T C E R I D X R C D
Î Ü E T Î O B T R O M B O N E
```

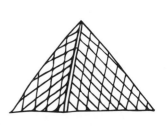

L'*EMPLOYÉ* / l'employée
(Employee)

Le directeur / la *DIRECTRICE*
(Director/manager)

Le préposé à l'accueil / la
préposée à l'*ACCUEIL*
(Receptionist)

Le *CLASSEUR*
(Binder/filing cabinet)

Le *LIVRE* (Book)

L'*ORDINATEUR* (m)
(Computer)

Le *BUREAU* (Desk)

L'*E-MAIL* (m) (Email)

Le *SURLIGNEUR* (Highlighter)

La *BOÎTE* de réception (Inbox)

Le *PAPIER* (Paper)

L'*IMPRIMANTE* (f) (Printer)

Le *STYLO* (Pen)

Le *CRAYON* (Pencil)

L'*AGRAFEUSE* (f) (Stapler)

Le *TROMBONE* (Paperclip)

La feuille de *CALCUL*
(Spreadsheet)

Je vous l'*ENVERRAI*.
(I will send it to you.)

Je suis en train de m'en
OCCUPER.
(I am working on it now.)

Veuillez signer *ICI*.
(Please sign here.)

Le *TÉLÉPHONE* (Telephone)

Je ne *SERAI* pas au bureau.
(I will be out of the office.)

J'ai une *RÉUNION*.
(I have a meeting.)

Je vais *DÉJEUNER*.
(I am going on my lunch
break.)

Vous prendrez un thé ou un
CAFÉ ?
(Would you like a tea or
coffee?)

Le *CARNET* (Notebook)

La technologie: Technology

```
A F R B E N O H P T R A M S Û
E I A M G G C I H J O I N T E
X S N O P T É E T P M O C T R
E Ô L T O A C C U E I L N É I
T B A V E N R U L I A M E L R
R C P F O R A T R A È V E É C
E O P I M R N S A S V H L C S
I N L C É N D E O G E I S H N
S N I H M O E I T U E U E A I
S E C I O M M S N H R R R R S
O C A E I D G O S A V I U G O
D T T R R Q U E T A T È S E C
B E I H E Â L R C E P E Ù R I
P R O G R A M M E T U E U D A
C P N P O R T A B L E R A R L
```

Le *COMPTE* (Account)

L'*APPLICATION* (f) (Application)

La pièce *JOINTE* (Attachment)

Le *BLOG* (Blog)

L'*ORDINATEUR* (m)
(Computer)

Le *CURSEUR* (Cursor)

La *BASE* de données
(Database)

L'*E-MAIL* (m) (Email)

Le *FICHIER* (File)

Le *DOSSIER* (Folder)

Le disque *DUR* (Hard drive)

La page d'*ACCUEIL*
(Homepage)

L'*INTERNET* (m) (Internet)

Le *CLAVIER* (Keyboard)

L'ordinateur *PORTABLE* (m)
(Laptop)

La *MÉMOIRE* (Memory)

La *SOURIS* (Mouse)

Le mot de *PASSE* (Password)

Le *PROGRAMME* (Program)

L'*ÉCRAN* (m) (Screen)

Le *MOTEUR* de recherche
(Search engine)

Le *SMARTPHONE*
(Smartphone)

Le réseau *SOCIAL*
(Social network)

TÉLÉCHARGER
(To download/upload)

Se *CONNECTER* (To log in)

S'INSCRIRE (To register)

PARTAGER (To share)

Le *NOM* d'utilisateur
(Username)

La vie professionnelle: Working Life

```
F Ù O D V R Œ Ç X L T S T A T
Œ A E K Z K Ô I Ë E S O U R R
Ë I I C M Â Ç Û J P Z S A N A
P N Y R Ç N Ê A M C S V I E I
V I R Z E F R E O I A D M S N
É O Q E A T T M H I Ù F E T U
L R G I O G M M L A I D B P Ç
O É T O N E J L M H N Î I A T
H E F O N T E Ê N É F É E S R
S G L T K Z S Ë Ï E T S N C A
T Ï Œ Y V Q U C Ê N I I È S M
N Ï A O R Y I M O V L B E R B
Œ M U S Î X S É Q M U U M R T
Ô S U A K Œ Q D D S M E Â O S
A I M E Z S I U P E D E F P C
```

Où *TRAVAILLEZ-VOUS* ?
(Where do you work?)

Vous *FAITES* quoi comme
travail ?
(What is your job?)

JE SUIS … (I am a …)

Vous avez un long *TRAJET*
à faire ?
(Do you have to commute?)

J'ai un long trajet à *FAIRE*.
(I commute a long way.)

Le trajet *N'EST PAS* très long.
(I do not commute very far.)

COMMENT allez-vous au
travail ?
(How do you get to work?)

J'y vais à *PIED*.
(I walk.)

J'y vais à *VÉLO*.
(I cycle.)

Je prends le *BUS*.
(I catch the bus.)

Je prends le *TRAIN*.
(I catch the train.)

Je prends le *TRAM*.
(I catch a tram.)

Vous *AIMEZ* votre travail ?
(Do you enjoy your work?)

Je l'*AIME BIEN*. (I like it.)

Vous y travaillez depuis
COMBIEN de temps ?
(How long have you worked
there?)

Depuis *LONGTEMPS*.
(A long time.)

DEPUIS pas *TRÈS* longtemps.
(Not very long.)

Vous avez fait quoi comme
autres *MÉTIERS* ?
(What other jobs have you
done?)

J'ai *AUSSI* été …
(I have also worked as …)

Les matières et activités scolaires: School Subjects and Activities

```
Ô X M A T H É M A T I Q U E S
L C R À É E I H P A R G O É G
V D R E S P A G N O L O Y B E
B S U É C O N O M I E Z P M C
I G I V S I A L G N A I R S R
O C M A T E C H N O L O G I E
L O U È Ç L C Û S Q Ï A O I M
O H S I G N A N T E C Û M Ï M
G H I À S É A R E H U I K Ù O
I T Q S C I A R O I H G Î Ô C
E N U H T E N R F C C L N Ï Û
I Ë E F R O A É W H S F A T
Y C P J Ï L I T A L I E N H L
S V L S E R O R C H E S T R E
E U Q I S Y H P E R T Â É H T
```

L'*ART* (m) (Art)

L'*HISTOIRE* (f) (History)

La *GÉOGRAPHIE* (Geography)

Les *MATHÉMATIQUES* (fpl) (Mathematics)

La *PHYSIQUE* (Physics)

La *BIOLOGIE* (Biology)

La *CHIMIE* (Chemistry)

Les *SCIENCES* (fpl) (Science)

La *TECHNOLOGIE* (Technology)

Le *THÉÂTRE* (Drama)

L'*ANGLAIS* (m) (English)

Le *FRANÇAIS* (French)

L'*ESPAGNOL* (m) (Spanish)

Les *LANGUES* étrangères (fpl) (Foreign languages)

La *GYM* (Gym)

L'*ITALIEN* (m) (Italian)

Le club de *SPORT* (Sports club)

L'*ORCHESTRE* (m) (Orchestra)

La *CHORALE* (Choir)

Le club de *MUSIQUE* (Music club)

Le club d'*ÉCHECS* (Chess club)

La *CUISINE* (Cookery)

Le *COMMERCE* (Business studies)

L'*ÉCONOMIE* (f) (Economics)

Dans la salle de classe: In the Classroom

```
C Â N D E X P É R I E N C E S
A F O S E R U T N I E P J H E
L E I R N D E V O I R S Ê R L
C T T U W A Ç T M Ï G S V Y A
U N C O T R A D U C T I O N B
L A A C Ô B R È S Y L Ü É R O
A I D L L Ê Q Q L Ü G Q U U R
T D É E B N U O R R U E M E A
R U R Ü E E É A A X Î U S T
I T Ê È S R P M T E N Ô D S O
C É G T U O M I R O V E E E I
E L I T N A O C Y X S T G F R
E O C S I N I A D S Û Y I O E
N E E R S C R E I P A P A R H
L Ï E G E C M N Î À V C C P W
```

La *QUESTION* (Question)

La *RÉPONSE* (Answer)

L'*EXERCICE* (m)
(Task/exercise)

Le tableau *BLANC*
(Whiteboard)

La *CALCULATRICE* (Calculator)

La *RÈGLE* (Ruler)

Le *LABORATOIRE* (Laboratory)

L'étudiant / l'*ÉTUDIANTE*
(Student)

Le *SAC* (Bag)

Le *TEST* (Test)

Le *PROFESSEUR* /
La professeure (Teacher)

La *RÉDACTION* (Essay)

La *TABLE* (Desk)

Le *COURS* (Course/lesson)

La *PEINTURE* (Paint)

Le *DESSIN* (Drawing)

Les *ÉQUATIONS* (fpl)
(Equations)

L'*EXPÉRIENCE* (f)
(Experiment)

Le *STYLO* (Pen)

Le *CRAYON* (Pencil)

Le *PAPIER* (Paper)

Le *LIVRE* (Book)

La *LECTURE* (Reading)

La *TRADUCTION* (Translation)

Les *DEVOIRS* (mpl)
(Homework)

La *GRAMMAIRE* (Grammar)

Les couleurs: Hues

```
C H Â T A I N M Ù Â S A L I L
C E R O U G E A A I P É S J Ù
T M Ï D Î Q W E N U Y E K A Q
E È T C Q R Q O G D V S É U U
E R Ü R Û T I Ç F I I E E N É
G C H J E S Ù E L O E L N E C
N D Ù E E V Z O M M B B G N A
A A V T U N I A K J T É A T R
R S T V O N H S X E Û L P N L
O E A R I C A M I S B I M E A
S I B U N O I R A O W G A G T
Ù N K J M C L R F R M D H R E
Â U A F Y O E E B A R A C A D
È D D F Ô B N V T A S O R X Â
E E S I O U Q R U T D Ê N C É
```

Le *BEIGE* (Beige)

Le *BLANC* (White)

Le *BLEU* (Blue)

Le *MARRON* (Brown)

Le *VERT* (Green)

Le *ROUGE* (Red)

Le *JAUNE* (Yellow)

Le *MAUVE* (Mauve)

Le *NOIR* (Black)

L'*ORANGE* (m) (Orange)

Le *ROSE* (Pink)

Le *VIOLET* (Purple)

La couleur *ARGENT* (Silver)

La couleur *BRONZE* (Bronze)

La couleur *CHÂTAIN* (Chestnut)

La couleur *CRÈME* (Cream)

Le vert *JADE* (Jade)

Le vert *OLIVE* (Olive)

La couleur *NOISETTE* (Hazel)

Le jaune *SAFRAN* (Saffron)

Le *CRAMOISI* (Crimson)

La couleur *SÉPIA* (Sepia)

Le *TURQUOISE* (Turquoise)

Le *LILAS* (Lilac)

L'*ÉCARLATE* (f) (Scarlet)

La couleur *CHAMPAGNE* (Champagne)

La couleur *CHAMOIS* (Buff)

L'*ABRICOT* (m) (Apricot)

Le *SAUMON* (Salmon-pink)

Le tourisme: Sightseeing

```
R B E D A N E M O R P A E C H
O A E M U S É E Â U A É É K R
I T N B Ë U E T A C D A Ï V E
N E Ù H I S T O R I Q U E S N
E A A U D I O G U I D E B X S
S U N Ü Â V S G Ç E R M É U E
Ë R P G Z Œ I T K É L Ç E E I
P E A R L S Y S D W T L X P G
H I Q U O A C U I W Ç I M N
O T E U Y C I O Ê T U F R V E
T R L E E T H S Û R E E I Q M
O A K R À S Ê A S T L R O U E
S U Ï V H M T I I L E M V A N
Î Q O U G S O C A N A E V N T
Œ O L O N N Ü Ê E À E Î E D S
```

Je voudrais un *AUDIOGUIDE*. (I would like an audio set.)

Je voudrais un guide en *ANGLAIS*. (I would like an English guidebook.)

Je voudrais un plan du *QUARTIER* / de la *VILLE*. (I would like a map of the area/of the city.)

Je voudrais *VISITER* un musée. (I would like to visit a museum.)

Je voudrais *ALLER* dans un *MUSÉE*. (I would like to go to a gallery.)

Qu'est-ce qu'il y a à *VOIR* par ici ? (What is there to see in the area?)

Avez-vous des *RENSEIGNEMENTS* sur les sites *HISTORIQUES* ? (Do you have information on historical sights?)

Est-ce que je *PEUX* prendre des *PHOTOS* ? (Can I take photographs?)

QU'EST-CE que c'est ? (What is that?)

À quelle heure ça *OUVRE* / ça *FERME* ? (What time does it open/close?)

Combien *COÛTE* l'entrée ? (What is the admission charge?)

Est-ce qu'il y a un tarif *RÉDUIT* pour … ? (Is there a discount for …?)

Est-ce qu'il y a un tarif *SENIOR* ? (Is there a discount for older people?)

QUAND aura lieu la prochaine *PROMENADE* en *BATEAU* ? (When is the next boat trip?)

Quand aura lieu la prochaine *EXCURSION* ? (When is the next day trip?)

Quand aura lieu la *PROCHAINE* visite *GUIDÉE* ? (When is the next tour?)

Spécialités françaises: French Dishes

```
D I Q N E D A R E P I P W É K
L E L L I U O T A T A R W N E
D S A Ü Ô T D U X L A M X T É
E D E É P R A C L E T T E K L
Ç F D P B O T T S K R O É I Û
L R F N Ê B T S E I E L Ù G R
S N F O T R A A P T F E A H B
T I D M E G C O U F R R K A E
O V S Ô U K U O U F B A O F M
G U L O R X C O Ù U E X T A È
R A F B G Y S E R Ë A U D R R
A Q Y Œ O E S E A S X M Â Z C
C O B O U I L L A B A I S S E
S C E A L I G O T Q Z Œ Ë K A
E V S T E A K T A R T A R E A
```

L'*ALIGOT*
(cheesy mashed potatoes)

L'*AXOA* (Basque veal stew)

Le *BAECKEOFFE*
(casserole from the Alsace region)

La *BOUILLABAISSE*
(traditional Provençal fish stew)

Le *COQ-AU-VIN*
(chicken braised with wine)

La *CRÈME BRÛLÉE*
(rich custard dessert)

Les *CRÊPES* (thin pancakes)

Les *ESCARGOTS*
(edible snails)

La *FOUGASSE*
(bread typically made to look like an ear of wheat)

La *GARBURE*
(thick soup with ham, cabbage, and stale bread)

Le *KIG HA FARZ*
(meat and buckwheat stew from Brittany)

La *PIPERADE*
(type of Basque ratatouille)

Le *POT-AU-FEU*
(beef and vegetable stew)

La *RACLETTE*
(melted cheese eaten with potatoes, ham, pickles, etc.)

La *RATATOUILLE*
(Provençal stewed vegetable dish)

Le *SOUFFLÉ*
(baked egg-based dish)

Le *STEAK TARTARE*
(raw ground beef with various seasonings and a raw egg yolk)

La *TARTE TATIN*
(upside-down tart with fruit browned in sugar and butter)

La *TEURGOULE*
(rice pudding from Normandy)

Les *TRIPOUX*
(stuffed sheep tripe)

Les bâtiments: Buildings

```
T R O P O R É A S É C C J E L
G A R A G E B U R E A U X R C
E U Q È H T O I L B I B O A T
T K E T N O S I A M E H S G E
S A N M A I R I E A Ô E M Û M
O X I R S Z O Q M T R E O M P
P S S R O A Y B E N H R D O L
P P U M A U A L E Ô L E R S E
O O S A Z S T N P E B Y S Q N
M R À G S M S I S Â S O C U T
P T Y A U O T I È Ü L F K É R
I S D S I A L T M R K Î F E E
E E É I L G A Ê I M E Ï Ç S P
R E Ê N É Î Ù D É C O L E Ô Ô
S Â E L A R D É H T A C D W T
```

L'*HÔTEL* (m) (Hotel)

Le *MAGASIN* (Shop)

L'*ENTREPÔT* (m) (Warehouse)

L'*USINE* (f) (Factory)

La *MAIRIE* (Town hall/city hall)

L'immeuble de *BUREAUX* (m) (Office building)

Le *LYCÉE* (College)

La *BIBLIOTHÈQUE* (Library)

Le *MUSÉE* (Museum)

L'*ÉCOLE* (f) (School)

Le palais des *SPORTS* (Arena)

Le *TEMPLE* (Temple)

La *MOSQUÉE* (Mosque)

L'*AMBASSADE* (f) (Embassy)

La caserne des *POMPIERS* (Fire station)

Le *COMMISSARIAT* (Police station)

La *POSTE* (Post office)

La *CASERNE* (Barracks)

La *MAISON* (House)

La *CATHÉDRALE* (Cathedral)

L'*AÉROPORT* (m) (Airport)

L'*ÉGLISE* (f) (Church)

Le *GARAGE* (Garage)

Le *FOYER* (Hostel)

La *GARE* (Train station)

La gare *ROUTIÈRE* (Bus station)

L'*HÔPITAL* (m) (Hospital)

Les bâtiments et sites importants: Places of Interest

```
E E E L Â E U Q I R O T S I H
É R T R A D U C H Â T E A U X
S È M I È W O É G L I S E È A
U I O Ù C I R Î M R N X Z Ç W
M V N Ê S E L V I O T I U N H
Û I T Â E T A A I P L A G E E
C R A S N Ô M T M L Û Ù V C L
E G G Ô I C C A E I L È R K B
R W N P U A O A R M N A B Î O
A J E P R S O N S É P A G È N
H L K T O I Z Ü C C P L X E G
P Ê T Y Ë N Û Y E E A O E D I
J A L L C O T S R M R D E A V
S C A T H É D R A L E T E T Q
O T N E M U N O M G Ç Y T S V
```

La *MAIRIE* (Town hall/city hall)

Le *PONT* (Bridge)

Le *MUSÉE* (Museum)

Le musée d'*ART* (Art gallery)

Le *MONUMENT* (Monument)

L'*ÉGLISE* (f) (Church)

La *CATHÉDRALE* (Cathedral)

Le *TEMPLE* (Temple)

Le *VILLAGE* (Village)

Le *CHÂTEAU* (Castle)

Le *PHARE* (Lighthouse)

Le *VIGNOBLE* (Vineyard)

La *PLAGE* (Beach)

Le *PARC* (Park)

La *CÔTE* (Coast)

Les *CASCADES* (fpl)
(Waterfalls)

La *MONTAGNE* (Mountains)

La salle de *CONCERT*
(Concert hall)

Les *RUINES* (fpl) (Ruins)

La *RIVIÈRE* (River)

Le *ZOO* (Zoo)

Le site *HISTORIQUE*
(Historical site)

La réserve *ANIMALIÈRE*
(Wildlife sanctuary)

Le *STADE* (Stadium)

Le parc d'*ATTRACTIONS*
(Amusement park)

L'*OPÉRA* (m) (Opera house)

La boîte de *NUIT* (Nightclub)

Le *CASINO* (Casino)

Au musée: At the Museum/Gallery

```
Q T N A N N O I S S E R P M I
Ë E V J E L L E P P A R Ù G G
V É E R U T R E V U O D R X P
N R E T S I T R A S A A É O Î
O T Â A Ë K A M P T P Y U J U
I N S H U I O É E H S V N Ê E
T E C W M D P T I O E E G Ç L
I S K E E R I Q T Z C M U E L
S A N R E L U O V È O I I R E
O T N N Ô E H O G N M A D U T
P E D G S P U B A U B J É T E
X R J M L S E B Â T I M E N T
E R O U L A N T À U E D G I A
A K L E U T I B A H N I E E D
K W A C C E S S I B L E U P Ï
```

Quels sont les horaires d'*OUVERTURE* du musée ? (When is the museum open?)

COMBIEN coûte l'*ENTRÉE* ? (How much is admission?)

En quoi consiste l'*EXPOSITION* ? (What is in the exhibition?)

J'aime les arts *GRAPHIQUES*. (I like graphic art.)

J'AIME l'impressionnisme. (I like impressionism.)

J'aime l'art *MODERNE*. (I like modern art.)

J'aime la *PEINTURE* de la Renaissance. (I like Renaissance paintings.)

Le *BÂTIMENT* est-il *ACCESSIBLE* en fauteuil *ROULANT* ? (Is there wheelchair access?)

POUVEZ-VOUS m'en dire plus sur l'*ARTISTE* ? (Can you tell me about the artist?)

De quand *DATE-T-IL / DATE-T-ELLE* ? (How old is it?)

J'aimerais *VRAIMENT* voir … (I would really like to see …)

Ça me *RAPPELLE* … (It reminds me of …)

Est-ce qu'il y a une visite *GUIDÉE* ? (Is there a tour?)

Est-ce que je peux *PRENDRE* des *PHOTOS* ? (Can I take photographs?)

C'est *BEAU*. (It is beautiful.)

C'est *INHABITUEL*. (It is unusual.)

C'est *IMPRESSIONNANT*. (It is impressive.)

Est-ce qu'il y a un *AUDIOGUIDE* ? (Is there an audio guide?)

Est-ce qu'il y a un guide en *ANGLAIS* ? (Is there an English guidebook?)

À la plage: At the Beach

```
E D H P L O N G É E H E B Ù R
E A E Ê F E R M É E T E C P X
T N G R E È E L V U Ü Œ U A B
T G A È P B U S A Ë S D C R S
E E L G A N O H Œ T H O Q A E
I R P S E V L T N K M Ô S S L
V J S T Ë U B A A B I E J O L
R E T S L P R E I S C L E L I
E E A P R U Ë N A È N D J U U
S Â R O O H A N I C A A A E Q
Œ J C C À I N P A N H E R Ë N
Ù H M X S A X N G R P B Y T A
E Ç U O G U Ê I Â A C È A I R
S E N E E A A M H Î Ù É Q L T
P S R D R B É C A B E L L E L
```

Où est la *PLAGE* ?
(Where is the beach?)

Où est la plus *BELLE* plage ?
(Where is the best beach?)

Où est la plage la plus
PROCHE ?
(Where is the nearest
beach?)

Où est la plage la plus
TRANQUILLE ?
(Where is the quietest
beach?)

On peut *NAGER* sans
DANGER ?
(Is it safe to swim?)

Est-ce qu'il y a un maître
NAGEUR ?
(Is there a lifeguard?)

BAIGNADE interdite
(No swimming)

Forts *COURANTS*
(Strong currents)

Plage *FERMÉE* (Beach closed)

À quelle *HEURE* est la marée
HAUTE / *BASSE* ?
(What time is high/low tide?)

Est-ce que je *PEUX* louer un
transat ?
(Can I rent a chair?)

Est-ce que je peux *LOUER* un
PARASOL ?
(Can I rent an umbrella?)

Est-ce que je peux louer
une *COMBINAISON* de
PLONGÉE ?
(Can I rent a wetsuit?)

La *SERVIETTE* de plage
(Beach towel)

Le *TRANSAT* (Deck chair)

Le *BEACH BALL* (Beachball)

Les *LUNETTES* de soleil (fpl)
(Sunglasses)

Le maillot *DEUX-PIÈCES*
(Bikini)

Le *CHAPEAU* (Sun hat)

L'*ÉCRAN* solaire (m)
(Sunscreen)

Pays et territoires à population francophone:
Countries and Territories with a French-speaking Population

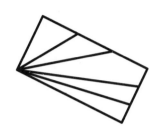

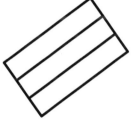

```
Û Ê Ü S Î L E M A U R I C E S
B N E H R A C S A G A D A M É
U C U Ê A I Y A D A N A C D N
R G Q O E Ï Y E S R E J J E É
K R I S R S T Ï R G Â I G É G
I U N E I E U I I E B È A N A
N O I Y O R M L S O G A B I L
A B T C V O A A U È D I O U B
F M R H I M Ê T C H A D N G E
A E A E D O I S O G O T A A L
S X M L E C N A R F F V B D G
O U S L T U N I S I E É S N I
O L F E Ô D B U R U N D I A Q
Â Ù Ê S C Ê E S S I U S À W U
O C A N O M V A N U A T U R E
```

La *BELGIQUE* (Belgium)

Le *BÉNIN* (Benin)

Le *BURKINA FASO* (Burkina Faso)

Le *BURUNDI* (Burundi)

Le *CAMEROUN* (Cameroon)

Le *CANADA* (Canada)

Les *COMORES* (Comoros)

La *CÔTE D'IVOIRE* (Côte d'Ivoire)

DJIBOUTI (Djibouti)

La *FRANCE* (France)

Le *GABON* (Gabon)

La *GUINÉE* (Guinea)

HAÏTI (Haiti)

JERSEY (Jersey)

Le *LUXEMBOURG* (Luxembourg)

MADAGASCAR (Madagascar)

Le *MALI* (Mali)

La *MARTINIQUE* (Martinique)

L'*ÎLE MAURICE* (Mauritius)

MONACO (Monaco)

Le *NIGER* (Niger)

Le *RWANDA* (Rwanda)

Le *SÉNÉGAL* (Senegal)

Les *SEYCHELLES* (Seychelles)

La *SUISSE* (Switzerland)

Le *TCHAD* (Chad)

Le *TOGO* (Togo)

La *TUNISIE* (Tunisia)

Le *VANUATU* (Vanuatu)

En voyage avec des enfants: Travel with Children

```
Û R E A Î C F A T I S T Ô V T
F I T Œ L A H E Ü È Ù M A E S
A H U P U L È A Î À A Ë E N I
M I A T Ô D A V N T É Ç T D M
I P H A E S Ü I E G A L Q E D
L O E Â I Ï E R T T E R Î Z A
L U S A R Z N T E E S B I I È
E S I H E I É C T B R A É F P
Ô S A Œ S G À É Û E D S Ï B T
L E H É Ç L È Ô Z A G S U N É
O T C Ê Î Â I I P G Y N A U K
M T R P E T I T S N B F I A B
E E È N U P É Q M Ê N Ç Ù L Ç
N A E Â A C O É M E X Ü M T R
U A Q L W G Â T R Ô Û Û Ë Z E
```

Il me faut un *SIÈGE* bébé / *ENFANT*.
(I need a baby/child seat.)

Il me faut un *POT*.
(I need a potty.)

Il me faut un *LIT* d'enfant.
(I need a crib.)

Il me *FAUT* une *POUSSETTE*.
(I need a stroller.)

Il me faut une *CHAISE HAUTE*.
(I need a high chair.)

Les enfants sont-ils *ADMIS* ?
(Are children allowed?)

Est-ce qu'il y a un espace *CHANGE-BÉBÉ* ?
(Is there a baby change room?)

Est-ce qu'il y a un *TARIF* enfant ?
(Is there a child discount?)

Est-ce qu'il y a un tarif *FAMILLE* ?
(Is there a family discount?)

Est-ce qu'il y a un *MENU* enfant ?
(Is there a children's menu?)

Est-ce que je peux *ALLAITER* ici ?
(Can I breastfeed here?)

Est-ce que vous *VENDEZ* du lait *MATERNISÉ* ?
(Do you sell formula?)

Est-ce que vous vendez des *PETITS* pots ?
(Do you sell baby food?)

Est-ce que vous vendez des *LINGETTES* pour bébé ?
(Do you sell baby wipes?)

Est-ce que c'est *ADAPTÉ* aux enfants de … ans ?
(Is it suitable for …-year-old children?)

L'accessibilité en voyage: Disabled and Assisted Travel

```
B É Q U I L L E S R S Ù E R N
B Ê Ï S O U R D E I E S L L Î
C C A C H K Œ K U È N M G Ë R
H I C Î H T T S P I N A U S U
A C C È S I E P A Û O I E E E
M Q E B H J E B V E S D V H T
B E S R M A E N É P R E A C A
R Ô S O E D N Ê S M E R Ë L
E L I W E I Œ D Ï A P X B A U
N I B L E A L Ê I R Â E E M B
Î T L Œ É J D A O C S E N Z M
Â A E Ô R É T M C O A Â N Ê A
S Y E S T Û M Ü I S Â P A D É
J S I A N R U N T S E A C È D
F A U T E U I L R O U L A N T
```

J'ai un *HANDICAP*.
  (I have a disability.)

JE SUIS handicapé /
  handicapée. (I am disabled.)

ACCESSIBLE (Accessible)

Le *FAUTEUIL ROULANT*
  (Wheelchair)

La *CANNE* (Walking stick)

Le *DÉAMBULATEUR*
  (Walking frame)

Les *BÉQUILLES* (fpl)
  (Crutches)

Je suis *AVEUGLE*.
  (I am blind.)

Je suis sourd / *SOURDE*.
  (I am deaf.)

La *RAMPE*
  (The ramp/handrail)

Les *MARCHES* (fpl) /
  L'*ESCALIER* (m)
  (The steps/stairs)

Les *PAVÉS* (mpl)
  (The cobblestones)

Y a-t-il une *SALLE DE BAINS*
  pour les personnes
  handicapées ?
  (Is there a disabled
  bathroom?)

Y A-T-IL une *ENTRÉE* sans
  marches ?
  (Is there an entrance without
  steps?)

Pouvez-vous m'*AIDER* ?
  (Can you help me?)

J'ai *BESOIN* d'aide.
  (I require assistance.)

Y a-t-il un *ACCÈS* pour
  les *PERSONNES*
  handicapées ?
  (Is there disabled access?)

Il me faut une *CHAMBRE*
  accessible.
  (I need an accessible room.)

Les *CHIENS* d'aveugle sont-ils
  ADMIS ?
  (Are guide dogs permitted?)

Poètes et écrivains français:
French Poets and Playwrights

```
V I N O L L I V H F R A N C E
E N I C A R È X U S D P E J E
R M B A P O L L I N A I R E L
È É D U A B M I R A D O I T L
I D E N E R V A L É É X A R I
L O C S E N O I S L T U L E E
O A É C U Â Ù N U R V A E V N
M B M O R F O A A O A V D É R
R D R L E E R R S A L I U R O
O Ï A E I D T L A B É R A P C
S E L T T A N O G A R A B Ï Î
T H L I U O N A G L Y M Z Û Î
A O A D A E N I A L R E V E D
N Ü M E G S O N S E D D À U R
D E M U S S E T C O C T E A U
```

Jean *ANOUILH*

Guillaume *APOLLINAIRE*

Louis *ARAGON*

Antonin *ARTAUD*

Charles *BAUDELAIRE*

André *BRETON*

Jean *COCTEAU*

Louise *COLET*

Pierre *CORNEILLE*

Robert *DESNOS*

Paul *ÉLUARD*

Anatole *FRANCE*

Théophile *GAUTIER*

Eugène *IONESCO*

Louise *LABÉ*

Stéphane *MALLARMÉ*

Pierre de *MARIVAUX*

MOLIÈRE

Alfred de *MUSSET*

Gérard de *NERVAL*

Charles d'*ORLÉANS*

Jacques *PRÉVERT*

Jean *RACINE*

Yasmina *REZA*

Arthur *RIMBAUD*

Edmond *ROSTAND*

Paul *VALÉRY*

Paul *VERLAINE*

François *VILLON*

Les rencontres – la conversation:
Meeting People – Conversation

```
E Z E S Î Û G S Û U M R D A R
T S E K E Ë J Î E S N O U E Â
P N Ê T Ï L Î O S D E J I O B
M È E H I Ê L E U Ï U T Ü T P
O Ê Ê I T B C E O R É T I N J
C P Ô V B N A S V M S H É A T
S E T Ê A M U H Z U W E S S F
A Y R C B P O R E G O I G S A
F D A P E S Ô C L U A N S E Z
C V V R V U Ô H L U Ë P Y R E
V R A I M E N T A X M Û Î É N
É Ç I E T I A R T E R Ë V T N
F É L I C I T A T I O N S N O
Y O L F O R M I D A B L E I D
A W E É T U D I A N T E Ü Œ D
```

Vous *HABITEZ* ici ?
(Do you live here?)

Qu'est-ce que vous *FAITES* ?
(What are you doing?)

Où *ALLEZ-VOUS* ?
(Where are you going?)

Vous *ÊTES* ici en vacances ?
(Are you here on vacation?)

Je suis ici en *VACANCES*.
(I am here for a vacation.)

Je suis ici *POUR* mon travail.
(I am here for business.)

Je suis ici pour mes *ÉTUDES*.
(I am here to study.)

Vous êtes ici pour *COMBIEN*
de *TEMPS* ?
(How long are you here?)

Je suis ici pour … *JOURS*.
(I am here for … days)

SUPER ! (Great!)

VRAIMENT ? (Really?)

FÉLICITATIONS !
(Congratulations!)

C'est *FORMIDABLE*.
(That is fantastic.)

C'est très *INTÉRESSANT* !
(How interesting!)

Quel est votre *MÉTIER* ?
(What do you do?)

Je *TRAVAILLE* dans …
(I work in …)

Je suis à mon *COMPTE*.
(I am self-employed.)

Je suis à la *RETRAITE*.
(I am retired.)

Je suis étudiant / *ÉTUDIANTE*.
(I am currently studying.)

DONNEZ de vos *NOUVELLES* !
(Keep in touch!)

La famille: Family

A	I	S	E	R	È	P	U	A	E	B	É	Ë	R	E
D	O	U	M	O	U	Ç	K	L	Ù	C	S	F	Y	T
O	M	E	Ü	A	B	E	L	L	E	M	È	R	E	N
P	E	R	M	V	O	I	C	I	N	C	S	I	B	E
T	L	È	Ü	F	M	Ê	R	Y	F	O	E	Œ	N	S
É	R	P	P	A	E	Y	W	W	A	N	L	C	U	É
E	A	D	F	Ï	R	M	V	L	N	J	L	L	S	R
A	P	N	U	G	U	Q	M	I	T	O	I	V	T	P
L	B	A	O	D	P	A	Ë	E	S	I	F	A	S	S
Î	Y	R	N	N	E	V	E	U	I	N	N	R	M	N
I	I	G	C	E	L	À	B	C	S	T	K	Ê	F	I
P	R	R	L	B	A	S	A	C	E	L	N	Y	R	S
K	C	A	E	J	U	M	E	A	U	X	I	F	È	U
X	S	Ç	M	P	À	E	I	D	Ô	Z	H	F	R	O
G	R	A	N	D	M	È	R	E	J	Ï	R	W	E	C

VOICI mon / ma …
(This is my …)

Je vous *PRÉSENTE* mon / ma / mes …
(I would like to introduce you to my …)

PARLE-MOI de ton / ta / tes …
(Tell me about your …)

Le *FILS* (Son)

La *FILLE* (Daughter)

Le *FRÈRE* (Brother)

La *SŒUR* (Sister)

Le *MARI* (Husband)

La *FEMME* (Wife)

L'ami / l'*AMIE* (Partner)

La *GRAND-MÈRE* (Grandmother)

Le *GRAND-PÈRE* (Grandfather)

Le *BEAU-PÈRE* (Stepfather)

Les *COUSINS* / les cousines (Cousins)

La *BELLE-MÈRE* (Stepmother)

La *TANTE* (Aunt)

L'*ONCLE* (m) (Uncle)

Le *NEVEU* (Nephew)

La *NIÈCE* (Niece)

Les *JUMEAUX* / les jumelles (Twins)

Adopté / *ADOPTÉE* (Adopted)

Placé en famille d'accueil / placée en famille d'*ACCUEIL* (Fostered)

Le *CONJOINT* / la conjointe (Spouse)

Les *ENFANTS* (mpl) (Children)

La *FAMILLE* (Relatives)

Villes et régions québécoises:
Towns, Cities, and Areas of Quebec

```
L M E H C A T S U E T N I A S
T Y B N A R G E U Q U T A L T
R L U A E M O C E I A B A A S
O R I M O U S K I S E V S L E
I L O N G U E U I L R H A V L
S M O R B U É W É O U C E A Î
R C A Î Ê C A V D L H N V L T
I H É G R W I E L I A A Ë D P
V A B E O S Î À N T L À Ê O E
I M P N Z G H E A I Î È Q R S
È B I L É R Ô M O N T R É A L
R L A S A L L E S A G A S P É
E Y S O R E L T R A C Y G O R
S A G U E N A Y L I E O L E B
S O T S E B S A Q U É B E C V
```

ASBESTOS	LA TUQUE	PERCÉ
BAIE-COMEAU	LACHINE	QUÉBEC
BELOEIL	LASALLE	RIMOUSKI
CHAMBLY	LAVAL	SAGUENAY
DORVAL	LÉVIS	SAINT-EUSTACHE
GASPÉ	LONGUEUIL	SEPT-ÎLES
GATINEAU	MAGOG	SOREL-TRACY
GRANBY	MATANE	TROIS-RIVIÈRES
HULL	MONTRÉAL	VAL-D'OR

D'où êtes-vous?: Where Are You From?

```
Œ  A  D  A  S  Ï  Ê  R  E  T  I  S  I  V  Z
Ù  E  A  T  U  A  G  R  É  A  B  L  E  P  È
S  R  D  I  O  R  F  W  P  E  T  I  E  E  Z
U  V  Œ  A  V  C  O  M  M  E  N  T  S  R  Î
O  I  S  A  Z  C  V  H  U  M  I  D  E  D  S
V  V  A  P  E  I  L  Q  Ï  T  N  É  S  U  T
Z  Ô  S  I  L  E  È  I  E  Â  W  S  W  A  I
E  G  A  L  L  I  V  X  M  I  P  Ï  E  H  O
I  S  E  L  I  L  E  N  G  A  P  M  A  C  R
R  V  R  K  E  Ù  E  X  V  M  T  B  S  A  D
E  Ê  T  E  S  V  O  U  S  Ü  I  I  L  D  N
M  U  Ç  R  N  U  F  W  R  T  U  L  N  U  E
I  Ë  C  Y  O  O  G  W  E  S  A  A  N  É  Ê
A  I  F  É  C  N  Q  Z  E  Ç  R  Î  D  O  X
Q  K  T  Ô  V  Y  L  J  Ç  G  V  S  Q  Ï  N
```

JE SUIS de / du …
   (I am from …)

D'où *ÊTES-VOUS* ?
   (Where are you from?)

Quels *ENDROITS* me
   CONSEILLEZ-VOUS de
   VISITER en / au … ?
   (Where should I visit in …?)

C'est un *GRAND* pays ?
   (Is it a big country?)

NON, c'est petit.
   (No, it is quite small.)

COMMENT est le *CLIMAT* ?
   (What is the climate like
   there?)

CHAUD (Hot)

FROID (Cold)

HUMIDE (Wet)

SEC (Dry)

Vous avez vécu *AILLEURS* ?
   (Have you lived anywhere
   else?)

Quel est l'endroit le plus
   AGRÉABLE où vous ayez
   VÉCU ?
   (Where was the best place
   that you lived?)

Vous habitez en *VILLE* ?
   (Do you live in the city?)

Vous habitez à la *CAMPAGNE* ?
   (Do you live in the
   countryside?)

Vous *HABITEZ* dans une
   PETITE ville ?
   (Do you live in a town?)

Vous habitez dans un
   VILLAGE ?
   (Do you live in a village?)

Où *AIMERIEZ-VOUS*
   VIVRE ?
   (Where would you like to
   live?)

Les pays: Countries

```
M  É  T  A  T  S  U  N  I  S  B  M  À  Ï  E
E  A  R  O  Y  A  U  M  E  U  N  I  V  E  D
I  I  A  U  S  T  R  A  L  I  E  D  D  E  N
S  V  N  A  T  S  I  K  A  P  E  N  T  E  A
S  U  Ù  A  D  A  N  A  C  E  A  I  D  E  L
U  N  È  E  I  L  A  T  I  L  R  N  E  C  É
R  U  R  D  P  C  E  R  N  L  I  C  G  È  Z
F  E  N  Z  E  S  A  I  A  I  S  K  È  R  E
I  O  N  E  S  G  F  N  O  P  A  J  V  G  L
D  C  H  I  L  I  D  A  N  E  M  A  R  K  L
J  A  U  U  H  E  T  P  Y  G  É  D  O  Ü  E
I  S  B  E  H  C  I  R  T  U  A  E  N  O  V
B  E  L  G  I  Q  U  E  Ë  A  Y  N  E  K  U
F  R  A  N  C  E  R  O  U  M  A  N  I  E  O
C  A  L  O  E  I  B  M  O  L  O  C  E  Ç  N
```

L'*AUSTRALIE* (f) (Australia)

L'*AUTRICHE* (f) (Austria)

La *BELGIQUE* (Belgium)

La *BULGARIE* (Bulgaria)

Le *CANADA* (Canada)

Le *CHILI* (Chile)

La *CHINE* (China)

La *COLOMBIE* (Colombia)

Le *DANEMARK* (Denmark)

L'*ÉGYPTE* (f) (Egypt)

La *FINLANDE* (Finland)

Les *FIDJI* (fpl) (Fiji)

La *FRANCE* (France)

La *GRÈCE* (Greece)

L'*INDE* (f) (India)

L'*IRLANDE* (f) (Ireland)

L'*ITALIE* (f) (Italy)

Le *JAPON* (Japan)

Le *KENYA* (Kenya)

La *NORVÈGE* (Norway)

La *NOUVELLE-ZÉLANDE*
(New Zealand)

Le *PAKISTAN* (Pakistan)

La *ROUMANIE* (Romania)

La *RUSSIE* (Russia)

La *SUÈDE* (Sweden)

La *SUISSE* (Switzerland)

Les *ÉTATS-UNIS* (mpl)
(United States of America)

Le *ROYAUME-UNI*
(United Kingdom)

Votre maison: About Your Home

```
X I I O N O I T A C O L O C A
U D N X S E U L E Ü Z E V A S
A É T E L L I M A F O N E S L
M C É N I D R A J H C R N S E
I O R A E T I T E P C E G E N
N R I U E M Ô S A C U D A R N
A A E T F Z E A G Ê P O P B O
N T U O N À E T E A E M M M I
O I R U A É C M R N R E A A T
S O E R V O M A I A D A C H I
I N I O M Z E L R A P R G C D
A F E B G R A N D E S P O E A
M S I U X Z E V I V D L A I R
J E Ë V V H A B I T E Z D G T
N S T Y L E Y E N N E I C N A
```

PARLEZ-MOI de L'*ENDROIT* où vous *HABITEZ*. (Tell me about your home.)

C'est une *MAISON* ? (Is it a house?)

C'est un *APPARTEMENT* ? (Is it an apartment?)

C'est une maison à la *CAMPAGNE* ? (Is it a cottage?)

Elle est *ANCIENNE* ? (Is it old?)

Non, elle est *NEUVE*. (No, it is new.)

Elle est *MODERNE* ? (Is it modern?)

Non, elle est de style *TRADITIONNEL*. (No, it is traditional.)

Elle est *GRANDE* ? (Is it big?)

Elle est *PETITE* ? (Is it small?)

Il y a *COMBIEN* de *CHAMBRES* ? (How many bedrooms does it have?)

Vous *AVEZ* un *JARDIN* ? (Do you have a garden?)

Vous avez des *ANIMAUX* ? (Do you have any pets?)

Il y a un terrain *AUTOUR* ? (Do you have some outside space?)

Il y a un *GARAGE* ? (Does it have a garage?)

Vous *VIVEZ* seul / *SEULE* ? (Do you live alone?)

Non, je suis en *COLOCATION*. (No, I live with roommates.)

Non, je vis avec ma *FAMILLE*. (No, I live with my family.)

Vous *AIMEZ* vous *OCCUPER* de la décoration *INTÉRIEURE* ? (Do you like to decorate?)

C'est quel *STYLE* de *DÉCORATION* ? (What is the decoration style?)

57

Dans la maison: In the House

```
R M E U B L E D R A C A L P Ô
U C A N A P É T A G È R E S F
E À R E Â R L E O S K S R U M
T C V U É M O Q U E T T E T P
A É H M E N S E T T E L I O T
R Ô L A I T I R O I R S R N D
I E Ô É I C A M Î Î D T E O D
P H V X V S R R E Z E Â R L E
S C T A À I E O É H F Ê T A R
A U I A L M S T O G C Y Ê S B
D O A Ï B N I I O N I R N G M
È D Ç À I L L R O E D R E Q A
L G U A Z H E S O N E E F Î H
H G B R E E N I S I U C S É C
O É C L A I R A G E R W Ê S R
```

La *CHAMBRE* (Bedroom)

La salle de *BAINS* (Bathroom)

La *CUISINE* (Kitchen)

Le *SALON* (Lounge)

La *PORTE* (Door)

La *FENÊTRE* (Window)

La *MOQUETTE* (Carpet)

Le *SOL* (Floor)

La *CHEMINÉE* (Fireplace)

Le parquet en bois *DUR* (Hardwood floor)

Le *RÉFRIGÉRATEUR* (Refrigerator)

La machine à *LAVER* (Washing machine)

Le *MICRO-ONDES* (Microwave)

La *TÉLÉVISION* (Television)

L'*ASPIRATEUR* (m) (Vacuum cleaner)

Le *CANAPÉ* (Sofa)

La *CHAISE* (Chair)

La *TABLE* (Table)

Le *LIT* (Bed)

Le *MEUBLE* (Cabinet)

Le *PLACARD* (Closet/cupboard)

Les *TIROIRS* (mpl) (Drawers)

La *DOUCHE* (Shower)

Les *TOILETTES* (fpl) (Toilets)

Les *MURS* (mpl) (Walls)

Le *MIROIR* (Mirror)

L'*ÉCLAIRAGE* (m) (Lighting)

Les *ÉTAGÈRES* (fpl) (Shelves)

Dans la salle de bains: In the Bathroom

```
N O T O C P R O D U I T S Ë G
I E N D Ü S E R E I P A P S È
A C S E T T E I V R E S Û H T
B I E S T N E D G G A N T A N
G R N E A S É P O N G E R M A
R F E O X D T E A Ü E E Î P R
N I B M V F G M O U S S E O O
I T O Î I A O E À A H À P I D
E N E S M L S L R L A I T N O
B E C M A D B Ï I C X À E G É
O D O G O R J Î Ë A S P D R D
U G E U O W Î R I O N G I E P
C L C S E T T E L I O T B Ç I
H H S I T C B A I G N O I R E
E E S È C H E C H E V E U X È
```

Les *PRODUITS* de toilette (mpl) (Toiletries)

Le *DENTIFRICE* (Toothpaste)

La brosse à *DENTS* (Toothbrush)

Le *SÈCHE-CHEVEUX* (Hairdryer)

Les *SERVIETTES* (fpl) (Towels)

Le *PEIGNOIR* (Bathrobe)

Le *SAVON* (Soap)

Le *DÉODORANT* (Deodorant)

Le *BAIN* moussant (Bubble bath)

Le *BIDET* (Bidet)

La *BAIGNOIRE* (Bath)

La *DOUCHE* (Shower)

Les *TOILETTES* (fpl) (Toilets)

Le *GEL* douche (Shower gel)

Le *RASOIR* (Razor)

La *MOUSSE* à raser (Shaving foam)

Le bain de *BOUCHE* (Mouthwash)

Le *SHAMPOING* (Shampoo)

La *LIME* à ongles (Nail file)

Le *GANT* de toilette (Wash cloth)

L'*EXFOLIANT* (m) (Exfoliator)

Le *COTON* hydrophyle (Cotton wool)

Le *GOMMAGE* (Scrub)

L'*ÉPONGE* (f) (Sponge)

Se *RASER* (Have a shave)

Le *PAPIER* hygiénique (Toilet tissue)

Le *LAIT* de toilette (Lotion)

Le *PEIGNE* (Comb)

La *BROSSE* à cheveux (Hairbrush)

Les habitudes du quotidien: Daily Routine

```
D M E T T R E T T E L I O T V
Ë O X S E F A E S É E O O Ô N
S I U N Ï E Û S X G Ê S L P E
H B Î C Û R É V E I L L E R I
A D R W H M Ï Ç M R L K H I H
B X R O B E E L O C É A S Ü C
I U M N S R L S È Û K E S F R
L A A Z Ü S E J D L N E R I E
L M Q J Ç T E É Q D À S E P Y
E I U C N H J R O Ë R É V A O
R N I A H E F R L I A V A R T
J A L D U A M N B A I N L T T
H P L N Û I T R E H C É S I E
Ü D E P R E N D R E S L L R N
R R R T N I A R T A R E V E L
```

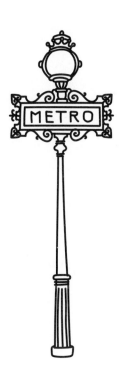

Se *RÉVEILLER* (To wake up)

Se *LEVER* (To get up)

S'HABILLER (To get dressed)

Prendre une *DOUCHE*
(To have a shower)

Prendre un *BAIN*
(To have a bath)

Faire sa *TOILETTE*
(To have a wash)

Se *LAVER* les cheveux
(To wash your hair)

Se *BROSSER* les dents
(To brush your teeth)

Se *SÉCHER* les cheveux
(To dry your hair)

Se *RASER* (To have a shave)

Se *MAQUILLER*
(To put on makeup)

METTRE ses lentilles de
contact
(To put in your contact
lenses)

Se *NETTOYER* les dents au fil
dentaire (To floss)

PRENDRE son petit déjeuner
(To have breakfast)

DÉJEUNER (To have lunch)

DÎNER (To have dinner)

Donner à manger au *CHAT*
(To feed the cat)

Donner à manger au *CHIEN*
(To feed the dog)

Donner à manger aux
ANIMAUX (To feed the pets)

Arroser les *PLANTES*
(To water the plants)

Aller à *L'ÉCOLE*
(To go to school)

Aller au *TRAVAIL*
(To go to work)

Prendre le *BUS*
(To catch the bus)

Prendre le *TRAIN*
(To catch the train)

Arriver chez *SOI* (To get home)

Aller au *LIT* (To go to bed)

S'ENDORMIR (To fall asleep)

FERMER la porte à clé
(To lock the door)

PARTIR de la maison
(To leave the house)

D'accord / Pas d'accord: Agreeing and Disagreeing

```
Û A Û Q U E S T C E P Ï S K A
T M M Ù P P À P Œ E Î Û X Ô N
J N B N À E H K N N R Ï Ç G U
A X J D W U X S S E M M O S C
L S À U V T E T R O M P E Z U
L É U R S Ê N P J V O U S S A
A B A S À T G E À E K Ê E Q D
I I M E S R E É M J S T S R S
S E A V O E N M E E I U O Ë Ê
Œ N Ù W O O D N E D T C I M D
Ï S É T S I E À È N C C Ê S X
È Û Ô I É S L Y L A T M A Œ F
Ç R A D U T Q À D G E Ù S X T
K R V I H S R U O J U O T W E
A B S O L U M E N T Î À L V W
```

Oui, vous avez *RAISON*.
(Yes, you are right.)

Je suis absolument *D'ACCORD*.
(I could not agree with you more.)

JE NE SUIS absolument pas d'accord.
(I could not agree with you less.)

C'est *EXACTEMENT* ce que je pense.
(That is exactly how I feel.)

AUCUN doute *LÀ-DESSUS*.
(No doubt about it.)

Ce que vous *DITES* est vrai.
(You have a point there.)

C'est *JUSTEMENT* ce que *J'ALLAIS* dire.
(I was going to say that.)

PEUT-ÊTRE. (I guess so.)

Mmm, je ne suis pas sûr / *SÛRE*.
(Well, I am not so sure.)

JE SUIS d'accord / ne suis pas d'accord avec vous.
(I agree/disagree with you.)

Si *VOUS* le dites.
(If you say so.)

Vous vous *TROMPEZ*.
(You are wrong.)

Ce n'est pas *TOUJOURS* le cas.
(That is not always the case.)

QU'EST-CE que vous en pensez ?
(What do you think?)

Nous ne *SOMMES* pas du *MÊME* avis, *VOILÀ* tout.
(I think we will have to disagree.)

BIEN SÛR. (Of course.)

Je ne *PENSE* pas.
(I don't think so.)

C'est *VRAI*. (That is true.)

ABSOLUMENT. (Absolutely.)

61

La société: Society

```
Û É X B É N É V O L E N E N L
Z L I S P N S É N E R G I E W
É E A I R O E É X N A S R Y L
T C P N É I E E S I A U S O A
I T N D S G S Ü R N T E J T I
L I O U I I S A T L R O P I C
A O I S D L M É U E U E A C O
N N T T E E E C W R Ê N C E S
I S I R N R I É N R Â I I C E
M C S I T T T A T E Ù C D N A
I L O E L L L S J U É E N E R
R A P U E Î Ë V I G P D A I G
C S M T O R I G I N E É H C E
Â S I N O S I R P H I M D S N
Î E S G O U V E R N E M E N T
```

Le *CITOYEN* / la citoyenne
(Citizen)

La *CLASSE* sociale
(Social class)

La *CRIMINALITÉ* (Crime)

Le *HANDICAP* (Disability)

Les *ÉLECTIONS* (fpl)
(Elections)

L'*ÉNERGIE* (f) (Energy)

L'*ORIGINE* ethnique (f)
(Ethnicity)

Le *SEXE* (Gender)

Le *GOUVERNEMENT*
(Government)

Le système de *SANTÉ*
(Health service)

L'*INDUSTRIE* (f) (Industry)

Le *MARIAGE* (Marriage)

La *MÉDECINE* (Medicine)

L'*ARGENT* (m) (Money)

Le député / la *DÉPUTÉE*
(Member of Parliament)

MULTICULTUREL /
multiculturelle
(Multi-cultural)

Le *JOURNAL* (Newspaper)

La *PAIX* (Peace)

Le *PRÉSIDENT* / la présidente
(President)

Le premier ministre /
la première *MINISTRE*
(Prime Minister)

La *PRISON* (Prison)

La *RELIGION* (Religion)

La *SCIENCE* (Science)

Le groupe *SOCIAL*
(Social group)

L'*IMPOSITION* (f) (Taxation)

Le bénévole / la *BÉNÉVOLE*
(Volunteer)

La *GUERRE* (War)

Les noces: Weddings

```
Ç Ü H A U T D E F O R M E E V
E D M N F N R C A D E A U E C
J I E X S I V À B J C G M R O
Î S N M N G A R Ç O N Â A I S
Û U I V O K M N F Ï A T R U T
L E Ê T I I S A Ç Ç I E I D U
E C A N T T S S R A F A A N M
I N I O A E A E A I I U G O E
M A N I T H F T L L É L E C T
E I V T I R Q N I L P E L É Ë
D L I P C Ù O V O O E E M E R
E L T E I I I B G C N O G Ç S
N A É C L C Z S E Ë I E T A O
U S E É É F Ê T E N O C E S P
L N Ç R F E S U E I G I L E R
```

Faire sa demande en *MARIAGE*
(To propose)

Se *FIANCER* (To get engaged)

La bague de *FIANÇAILLES*
(Engagement ring)

L'*ALLIANCE* (f) (Wedding ring)

La *MARIÉE* / Le marié
(Bride/groom)

La *DEMOISELLE* d'honneur
(Bridesmaid)

Le petit *PAGE* (Page)

Le *GARÇON* d'honneur
(Best man)

La *ROBE* de mariée
(Wedding dress)

Le *HAUT-DE-FORME* (Top hat)

CONDUIRE quelqu'un à l'autel
(To give someone away)

La cérémonie *RELIGIEUSE*
(Church service)

Le mariage *CIVIL*
(Civil wedding)

Le *TÉMOIN* (Witness)

La *RÉCEPTION* (Reception)

L'*INVITATION* (f) (Invitation)

L'invité / l'*INVITÉE* (Guest)

Le *GÂTEAU* de mariage
(Wedding cake)

Le repas de *NOCES*
(Wedding breakfast)

Le *CADEAU* (Present)

La *LUNE DE MIEL*
(Honeymoon)

Les *CONFETTIS* (mpl)
(Confetti)

La *FÊTE* (Celebration)

Les *FÉLICITATIONS* (fpl)
(Congratulations)

Le *COSTUME* (Suit)

Les animaux de compagnie: Pets

```
T Ê U S I A R E M I A J E L N
N J A T J Â V L D J À Y Z I O
Î R E T S M A H F F R E S T N
R E S B Û M Œ A V O I R E E O
L P I U I Û Ï N Z S A M R L S
A U O N Ü Î E E I N P Î P L S
P C A I Ç I I A Y S Ê G E E I
I C B N H R R W U C E É N P O
N O A C E E A Ç F N I O T P P
C I C M M N À M R Ê G V M A Â
Ô H I I I D K E Ê Î H Î C S Z
È A A M L É Z A R D E P U I S
J N A T Q J C O M P A G N I E
O U E N Â À Î T N O R M A L W
X C O C H O N D I N D E Œ I Ô
```

Vous avez des *ANIMAUX* ?
(Do you have any pets?)

Vous avez *DÉJÀ* eu des
animaux ?
(Have you ever had a pet?)

Vous *AIMERIEZ* en avoir un ?
(Would you like to get one?)

J'AIMERAIS en avoir un.
(I would like to get one.)

Je *N'AIMERAIS* pas en avoir.
(I would not like to have one.)

Je n'ai pas le *TEMPS* de
m'*OCCUPER* d'un *ANIMAL*.
(I do not have time to look
after a pet.)

C'est quel *GENRE* d'animal ?
(What type of animal is it?)

C'est un *CHAT*. (It is a cat.)

C'est un *CHIEN*. (It is a dog.)

C'est un *HAMSTER*.
(It is a hamster.)

C'est un *LÉZARD*.
(It is a lizard.)

C'est un *SERPENT*.
(It is a snake.)

C'est un *LAPIN*. (It is a rabbit.)

J'ai un *COCHON D'INDE*.
(I have a guinea pig.)

J'aimerais *AVOIR* un *POISSON*.
(I would like to get a fish.)

J'aimerais avoir un *OISEAU*.
(I would like to get a bird.)

Comment *S'APPELLE-T-IL* ?
(What is his name?)

Vous les avez *DEPUIS* combien
de temps ?
(How long have you had
them?)

C'est *NORMAL* d'avoir des
animaux de *COMPAGNIE*
ici ?
(Are pets common here?)

Les loisirs et les centres d'intérêt:
Hobbies and Interests

```
M Y Ç N U D A I M E Z V O U S
K M E V O T R E R M L I F D T
K I T Ç D O U B L É C Ü R R Â
B P C N G N I P P O H S E S X
P H T Â E L Z L E S A S G A N
F O T N T M I B F Ü N E A P É
A T R M E R E A T A T R Y I R
I O E U E M I R D È E N O A T
T G C S V R O T È R R E V N I
E R N I E P M M Ë I U G T E T
S A O Q S T È I R E L L A J S
V P C U K R E N I S I U C Ê U
O H Z E V A S U O V V V G È O
U I Î Ô É É T N E S S A P É S
S E R A N D O N N É E Ë Ë Û R
```

Que *FAITES-VOUS* de *VOTRE* temps *LIBRE* ?
(What do you do in your free time?)

J'aime *VOYAGER*.
(I like to travel.)

J'aime *DANSER*.
(I like to dance.)

J'aime *CHANTER*.
(I like to sing.)

J'aime *FAIRE* du *SPORT*.
(I enjoy playing sports.)

J'aime *ALLER* au *CONCERT*.
(I like to go to concerts.)

J'aime faire de la *MUSIQUE*.
(I enjoy playing music.)

J'aime *LIRE*. (I like to read.)

J'aime *CUISINER*.
(I enjoy cooking.)

Je fais *RÉGULIÈREMENT* de la *RANDONNÉE*.
(I regularly go hiking.)

J'aime la *PHOTOGRAPHIE*.
(I enjoy photography.)

J'aime faire du *SHOPPING*.
(I like to go shopping.)

Quel *GENRE* de musique *AIMEZ-VOUS* ?
(What type of music do you like?)

Quels films *PASSENT* en ce *MOMENT* ?
(What films are showing at the moment?)

VOUS AVEZ vu … ?
(Have you seen …?)

C'est *DOUBLÉ* ? (Is it dubbed?)

C'est *SOUS-TITRÉ* ?
(Is it subtitled?)

Vous avez aimé le *FILM* ?
(Did you like the movie?)

J'ai *TROUVÉ* ça *BIEN*.
(I thought it was good.)

JE N'AI PAS aimé.
(I did not like it.)

Les sports: Sports

```
E O E Y R E D R A G E R A T B
S Â H T U J E É S S E L B R I
C Y C L I S M E U P V M È N E
Ü À O E P I U Q É O O L Ê S N
S Ù R T Û E F J L K E R S R I
T Ï P Î E I L O B J B U T I S
R T È I T K N L É T O O F S U
U P E R S T S K A V X S P B O
O T O N I C V A Z S E Ç A Ê V
C P K E N O I E B P È T C E Z
S O R O U I R N H Â I Q U R E
L S Œ L V I S G E L Ù O E À V
F O E T M X Ï Y Ï Y J N P R I
A Z Ü D F L Ù M A I M E Z L U
P R A T I Q U E Z V O U S N S
```

Quels *SPORTS PRATIQUEZ-VOUS* ?
(What sports do you play?)

Je *JOUE* au / à la …
(I play …)

Quels sports *SUIVEZ-VOUS* ?
(What sports do you follow?)

Je suis le *BASKET*.
(I follow basketball.)

Le *FOOT* (Soccer)

Le *CYCLISME* (Cycling)

La *BOXE* (Boxing)

Le *TENNIS* (Tennis)

Vous *AIMEZ* le sport ?
(Do you like sport?)

J'aime *BIEN* le *REGARDER*.
(I like watching it.)

Quel *SPORTIF ADMIREZ-VOUS* ?
(What sportsperson do you like?)

Quelle *ÉQUIPE* suivez-vous ?
(What team do you follow?)

Qui *MÈNE* ? (Who is winning?)

Vous *VOULEZ* jouer ?
(Do you want to play?)

Très *VOLONTIERS*.
(That would be great.)

Je suis blessé / *BLESSÉE*.
(I have an injury.)

Où est la *PISCINE* la plus *PROCHE* ?
(Where is the nearest swimming pool?)

Il y a des *COURTS* de tennis par ici ?
(Are there tennis courts nearby?)

Où y *A-T-IL* une *SALLE* de *GYM* ?
(Where is the local gym?)

Hommes et femmes célèbres français:
Famous French People

```
U C R A D E N N A E J H D G O
L B E T T E N C O U R T E Y S
O Ù É R E T R A P A N O B Q E
U Ç E Ï B A R L E F F I E U T
B N D X Ù U T O I Ç D K A W R
O S E I R T E S D T Ï E U P A
U A G O E O C R O I C Y V S C
T M A R K U L D I R N F O O S
I U U C A Z R E A A P V I R E
N D L A B A Ô M N S T J R R D
Î Q L L B E P I N A U L T A O
Ê V E E C N A L B À H M O G G
E N A D I Z Y R N E H C A V U
I N O S T R A D A M U S Ô C H
V U I T T O N C O U S T E A U
```

Joséphine *BAKER*	Eugène *DELACROIX*	*NOSTRADAMUS*
Brigitte *BARDOT*	René *DESCARTES*	François *PINAULT*
Simone de *BEAUVOIR*	Alexandre *DUMAS*	Alain *PROST*
Liliane *BETTENCOURT*	Gustave *EIFFEL*	Jean *RENO*
Raymond *BLANC*	Roland *GARROS*	Auguste *RODIN*
Napoléon *BONAPARTE*	Thierry *HENRY*	Audrey *TAUTOU*
Albert *CAMUS*	Victor *HUGO*	*VOLTAIRE*
Coco *CHANEL*	*JEANNE D'ARC* (Joan of Arc)	Louis *VUITTON*
Jacques *COUSTEAU*	Christian *LOUBOUTIN*	Zinédine *ZIDANE*
Charles *DE GAULLE*	Marcel *MARCEAU*	

La randonnée: Hiking

```
R Â I O W S K Î T À Ï È R T L
E É N N O D N A R R W Q N S O
T Ô W Â È I S O H C U A W F N
E E M À Ô A L E I B S O A Ê G
H G R D Ü P Y U N S A C C Q U
C A P I Z P Ô D E T I L A Q E
A L A F A O R R J L I V I O U
É L Y F Û R É E E È E E O S R
N I S I À T É P S Z T D R R É
Q V A C N E E N V S R Â I S P
U À G I Ù R Î O I T A B B U Ê
E Ô E L L I U Î À T C P S W G
L A S E Î S R R D Ê I K V Ô Ù
L Ë Ê C A M P I N G D A K C H
E C H E M I N M È N E Î E U H
```

Est-ce qu'il y a des *SENTIERS* de *RANDONNÉE* ?
(Are there hiking trails?)

Est-ce qu'il nous faut un *GUIDE* ?
(Do we need a guide?)

Où peut-on *ACHETER* des *PROVISIONS* ?
(Where can I buy supplies?)

AVEZ-VOUS une *CARTE* ?
(Do you have a map?)

QUELLE est la *LONGUEUR* de la randonnée ?
(How long is the hike?)

Est-ce que c'est *DIFFICILE* ?
(Is it difficult?)

Est-ce que c'est bien *BALISÉ* ?
(Is it well marked?)

Qu'est-ce que je dois *APPORTER* ?
(What do I need to bring?)

Est-ce qu'il y a de beaux *PAYSAGES* ?
(Is it scenic?)

Quel est L'*ITINÉRAIRE* le plus *FACILE* ?
(Which route is easiest?)

Quel est l'itinéraire le plus *COURT* ?
(Which route is shortest?)

Quel est l'itinéraire le plus *INTÉRESSANT* ?
(Which route is most interesting?)

Où est le *CAMPING* ?
(Where is the campsite?)

Où est le *VILLAGE* ?
(Where is the village?)

Est-ce que ce *CHEMIN MÈNE* à / au … ?
(Does this path go to …?)

Est-ce qu'on peut *PASSER* par ici ?
(Can we go through here?)

Je me suis perdu / *PERDUE*.
(I am lost.)

La musique: Music

```
I  G  E  R  A  T  I  U  G  A  P  R  J  S  Ô
Z  S  E  P  U  O  R  G  T  E  E  G  T  É  Ï
Z  Ê  É  E  I  T  R  A  P  T  Z  R  È  S  K
A  B  A  S  S  E  Ê  Â  U  Ê  E  Û  A  O  É
J  E  K  O  E  È  R  O  E  C  Z  G  Ë  P  D
Ù  S  Ü  K  U  K  C  U  N  H  P  À  E  É  I
E  U  M  X  Q  É  A  O  E  I  I  T  D  R  R
L  E  Y  U  I  C  C  Ê  A  T  T  P  Î  A  A
A  T  Ë  K  S  Ï  A  N  G  E  N  L  H  Œ  I
R  N  R  C  S  I  O  Ù  P  K  Ü  A  X  O  T
O  A  E  O  A  B  Q  M  Q  L  G  A  H  M  P
H  H  V  R  L  J  O  U  E  O  Ï  È  W  C  G
C  C  Ù  P  C  R  Â  Ï  E  F  U  À  Ê  R  R
Ç  G  O  L  T  L  J  B  A  T  T  E  R  I  E
Z  P  X  X  N  O  L  O  I  V  É  Œ  J  R  Î
```

J'aime *ÉCOUTER* du *HIP HOP*.
(I like listening to hip hop.)

Le *JAZZ* (Jazz)

L'*OPÉRA* (m) (Opera)

Le *RAP* (Rap)

La *MUSIQUE CLASSIQUE*
(Classical music)

Le *FOLK* (Folk music)

La musique *POP* (Pop music)

Le *ROCK* (Rock music)

Je *JOUE* de la *BATTERIE*.
(I play the drums.)

Je joue de la *GUITARE*.
(I play the guitar.)

Je joue de la *BASSE*.
(I play bass guitar.)

Je joue du *PIANO*.
(I play the piano.)

Je joue de la *TROMPETTE*.
(I play the trumpet.)

Je joue du *VIOLON*.
(I play the violin.)

Je fais partie d'une *CHORALE*.
(I sing in a choir.)

Je fais *PARTIE* d'un groupe.
(I am in a band.)

Je suis *CHANTEUR* / *CHANTEUSE*.
(I'm a singer.)

Il y a de bons *GROUPES* par ici ?
(Are there good local bands?)

Où y a-t-il des *CONCERTS* ?
(Where can I go to hear live music?)

Ça vous *DIRAIT* d'aller à un concert ?
(Would you like to go to a concert?)

Le cinéma et la télévision: Film and Television

```
Y Z S E R I A T N E M U C O D
S E S E I D É M O C C R È A E
E V F B F P Œ I Q É B Ô N P M
U A E B D T Ê U T S D I O G I
Q R U E A Ï E A E É M L É Ë A
I E I A C S I I J A I L J N J
T D L U T T S À T C S E I G U
S R L C I É V I I P N H Ô F Ç
A A E O O U O È D A M O U R D
T G T U N N R S I O L O G I R
N E O P N E B P R É F È R E T
A R N K S F A I S A I T À O B
F Ë S Ù M S A H O R R E U R C
P S C I E N C E F I C T I O N
E H S E U Q I T A M A R D W A
```

J'AIME les films D'ACTION.
  (I like to watch action films.)

J'aime les FILMS de
  SCIENCE-FICTION.
  (I like to watch science fiction
  films.)

Je PRÉFÈRE les films
  DRAMATIQUES.
  (I prefer dramas.)

J'aime les COMÉDIES.
  (I like comedy films.)

Je n'aime pas les films
  D'AMOUR.
  (I do not like romantic films.)

J'aime les films
  FANTASTIQUES.
  (I like fantasy films.)

J'aime les films d'ANIMATION.
  (I enjoy animated films.)

Je regarde BEAUCOUP de
  DOCUMENTAIRES.
  (I watch a lot of
  documentaries.)

Je n'aime pas les films
  d'HORREUR.
  (I do not like horror.)

J'aime les séries POLICIÈRES.
  (I like crime shows.)

J'aime bien les FEUILLETONS.
  (I enjoy soap operas.)

Est-ce que vous AVEZ vu … ?
  (Have you seen …?)

Je l'ai DÉJÀ VU / vue.
  (I have already seen that.)

Je ne veux pas REGARDER ça.
  (I do not want to watch that.)

QU'EST-CE qu'on regarde ?
  (What should we watch?)

J'ai BIEN aimé. (I liked it.)

JE N'AI PAS aimé.
  (I did not like it.)

C'ÉTAIT bien. (It was good.)

Ce n'était pas bien du TOUT.
  (It was bad.)

C'était RIGOLO. (It was funny.)

Ça FAISAIT peur. (It was scary.)

La culture populaire: Popular Culture

```
E R B È L É C R É A T E U R S
É C Œ K È C É L É B R I T É E
C É H D J E N A I M E P A S R
O E L A I N É G S S É E S G T
U H I P N E H E R T S N U O O
T M W R J T P U I J I S O L V
E P M È Y U E L O H T E V B Ü
Z N Î S O L A U È A E Z Z P Î
V Ë Z R L É R R R Œ W V E R S
O Ü G I R N Ç T U S E O M É Ü
U Â E É A Ê R T H E B U I F M
S M L L Ë O F V N P T S A É O
Ç É E S U E T N A H C C Ï R D
T Ï N V M A G A Z I N E A É E
X U E I T N E T É R P A N E A
```

J'AIME … (I like …)

JE N'AIME PAS …
  (I do not like …)

Que *PENSEZ-VOUS* de … ?
  (What do you think of …?)

D'APRÈS vous, quel est le
  MEILLEUR chanteur /
  quelle est la meilleure
  CHANTEUSE ?
  (Who do you think is the best
  singer?)

Quel est votre *ACTEUR*
  préféré ?
  (Which actor do you like
  best?)

Quelle est *VOTRE* actrice
  PRÉFÉRÉE ?
  (Which actress do you like
  best?)

Quels *GROUPES*
  AIMEZ-VOUS ?
  (Which bands do you like?)

Quels *CHANTEURS*
  ÉCOUTEZ-VOUS ?
  (What artists do you listen
  to?)

Quels *CRÉATEURS* de *MODE*
  aimez-vous ?
  (Which fashion designers do
  you like?)

Le *JOURNAL* (Newspaper)

Le *MAGAZINE* (Magazine)

Le *SITE WEB* (Website)

Le *BLOG* (Blog)

La *CÉLÉBRITÉ* (Celebrity)

La *TÉLÉ-RÉALITÉ*
  (Reality TV)

CÉLÈBRE (Famous)

Je le *TROUVE* cool.
  (I think he is cool.)

Je la trouve *GÉNIALE*.
  (I think she is great.)

Je les trouve *PRÉTENTIEUX*.
  (I think they are pretentious.)

À la piscine: At the Pool

```
E R V U O C R E T T O L F Œ E
P L E I N A I R O N Ê V F A L
S Ü S R U O C L S O Ï O D K L
E E Œ G A Â L I Â I À L O Q E
R Y T Î U I M P B T Y O U È U
I I E T A R A Ê É A E N C P Q
A S L M E N F A N T S T H I E
I E C P R I I Z T A Œ I E S W
T T M H È E V S T N U E S C D
S T F A A È F R S Q I R J I D
E E V B Î U N H E A Â S R N S
V N L Ù N T F Ë Ç S B A V E R
Î U Ë V N Ü R F Ê V I S Ù O N
P L O N G E R E É T N A G E R
F Î U J U C O U V E R T E I I
```

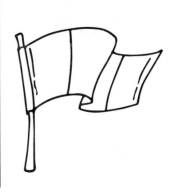

À quelle heure *OUVRE* la
PISCINE ?
(What time does the pool
open?)

À *QUELLE* heure *FERME* la
piscine ?
(What time does the pool
close?)

C'est une piscine *COUVERTE* ?
(Is it an indoor pool?)

C'est une piscine en
PLEIN AIR ?
(Is it an outdoor pool?)

C'est une piscine *CHAUFFÉE* ?
(Is it a heated pool?)

Il y a un *BASSIN* pour les
ENFANTS ?
(Is there a children's pool?)

Où sont les *VESTIAIRES* ?
(Where are the changing
rooms?)

Il est *PERMIS* de *PLONGER* ?
(Is diving allowed?)

Le *MAILLOT* de bain (Swimsuit)

Les *LUNETTES* de natation (fpl)
(Goggles)

FLOTTER (To float)

Les *SERVIETTES* (fpl) (Towels)

Les *DOUCHES* (fpl) (Showers)

Est-ce qu'il y a un *MAÎTRE*
nageur ?
(Is there a lifeguard?)

Est-ce qu'il y a des *COURS* de
NATATION ?
(Are there swimming
lessons?)

Ça vous *DIRAIT* d'aller nager ?
(Would you like to go
swimming?)

Très *VOLONTIERS*.
(I would love to.)

Je ne sais pas *NAGER*.
(I don't know how to swim.)

Les sorties: Going Out

```
Y Â F C S E E É L O S É D Ï A G
Â Î U U Q C N D O E E B L P P
À Y P T U È N É C N I L A E Ë
É E N E X E E N Q S O U U R J
R F A H K U E T B N R T L T A
E Q A E E I E O S S O H N Û T
C T E C T U Î V P N A A V E T
T W I A B T R R F R R R L Y E
À K P U E T È E Ô U E L E J N
C M D A N S E R A T E N I S D
I É C O D S E T N U R G D Ï S
L Ë T I O S S Ë Q R E T A R D
G Ü C I U E P A S S E R A I E
Œ I R S R A T E V U O R T E R
J A I M E R A I S Â Ï L D D Q
```

Qu'est-ce qui passe
  PRÈS D'ICI ?
  (What is going on nearby?)

Qu'est-ce qui passe ce *SOIR* ?
  (What is going on tonight?)

Qu'est-ce qui passe ce
  WEEK-END ?
  (What is going on this
  weekend?)

Où sont les boîtes de *NUIT* ?
  (Where are the clubs?)

À *QUELLE* heure *VEUX-TU*
  qu'on se retrouve ?
  (What time would you like to
  meet?)

J'AIMERAIS qu'on se retrouve
  à … heures.
  (I'd like to meet at …
  o'clock.)

On se *RETROUVE* où ?
  (Where should we meet?)

Tu *SERAS* où ?
  (Where will you be?)

Je *PASSERAI* te *PRENDRE*.
  (I will pick you up.)

À tout à L'*HEURE*.
  (See you later.)

J'ATTENDS ça avec
  IMPATIENCE.
  (I'm looking forward to it.)

Désolé / *DÉSOLÉE*, je suis en
  RETARD.
  (Sorry I'm late.)

Où *PEUT-ON* aller *DANSER* ?
  (Where can we go dancing?)

C'est *SUPER* ici !
  (This place is great!)

Allons en *BOÎTE*.
  (Let's go to a nightclub.)

ALLONS dans un *BAR*.
  (Let's go to a bar.)

Allons dans un *CAFÉ*.
  (Let's go to a café.)

Allons au *RESTAURANT*.
  (Let's go to a restaurant.)

Écrivains français: French Novelists

```
C O L E T T E Y A F A L E D O
U V D D X M V O L T A I R E I
R P E U E Z A Ó D E F O A F R
R E K N M B Á L D O K L H I C
I O C D I A A A R K F U O H E
N U A E G L S L Q A Y V J O R
R S I N I E É S Z S U Á A U E
U T R F D I T C M A Z X F E P
O T U E E E Á A E É C L X L B
F E A Á N T N B S E A N J L B
N D M D É S E J D U R A S E R
I U H E K D R N B É M G Á B Z
A A E N R E V E E Í B A F E O
L D S A N D R H U G O S C C L
A Á S A R T R E N Ó T X S Q A
```

ALAIN-FOURNIER	Jean *GENET*	Marquis de *SADE*
Honoré de *BALZAC*	André *GIDE*	Françoise *SAGAN*
Simone de *BEAUVOIR*	Michel *HOUELLEBECQ*	George *SAND*
Albert *CAMUS*	Victor *HUGO*	Jean-Paul *SARTRE*
Louis-Ferdinand *CÉLINE*	Joris-Karl *HUYSMANS*	*STENDHAL*
COLETTE	Madame de *LA FAYETTE*	Jules *VERNE*
Alphonse *DAUDET*	André *MALRAUX*	*VOLTAIRE*
Alexandre *DUMAS*	François *MAURIAC*	Émile *ZOLA*
Marguerite *DURAS*	Georges *PEREC*	
Gustave *FLAUBERT*	Marcel *PROUST*	

Les sentiments et les opinions: Feelings and Opinions

```
T N A Y A R T S I D Y H Œ J I
C Ù N Q D A R N P E N S E N T
P E W O C A C O N T E N T E C
R X É M I A C P N R Z É Î L E
O C Y U J T E C Û Ï V W I Z L
B E S Ï Ù N A S O U M M E Î C
L L D A S R È R O R A T T R A
È L É E P B Û R G T D I S I T
M E R C A I T S I I L A I G C
E N Ô À O Ê A Q N E M F R O E
Ê T J Ï M N U N Â E Z M T L P
Â X É Z O E O Ô E S I E I O S
S I A M Ê K T M Z J Ô B V E S
M O Y E N Ë N Ê I H J X H A È
M R É C H A U F F E M E N T Ô
```

Vous *AVEZ* aimé le
SPECTACLE ?
(Did you like the show?)

J'ai *TROUVÉ* ça *DISTRAYANT*.
(I thought it was
entertaining.)

J'ai trouvé ça *RIGOLO*.
(I thought it was funny.)

J'ai trouvé ça *EXCELLENT*.
(I thought it was excellent.)

J'ai trouvé ça bien *FAIT*.
(I thought it was clever.)

J'ai trouvé ça *MOYEN*.
(I thought it was average.)

J'ai *AIMÉ*. (I liked it.)

JE N'AI PAS aimé.
(I did not like it.)

Je ne suis pas *D'ACCORD*.
(I disagree.)

Oui, *MAIS* … (Yes, but …)

BIEN SÛR. (Of course.)

Pas de *PROBLÈME*.
(No problem.)

Je suis content / *CONTENTE*.
(I am happy.)

Je ne sais pas quoi *PENSER*.
(I am confused.)

Je ne suis pas sûr / *SÛRE*.
(I am not sure.)

Que *PENSENT* les gens de
L'ÉCONOMIE ?
(How do people feel about
the economy?)

Que pensent les gens de
L'IMMIGRATION ?
(How do people feel about
immigration?)

Que pensent les gens du
*RÉCHAUFFEMENT
CLIMATIQUE* ?
(How do people feel about
climate change?)

Je suis *TRISTE*. (I am sad.)

La foi et les coutumes: Beliefs and Customs

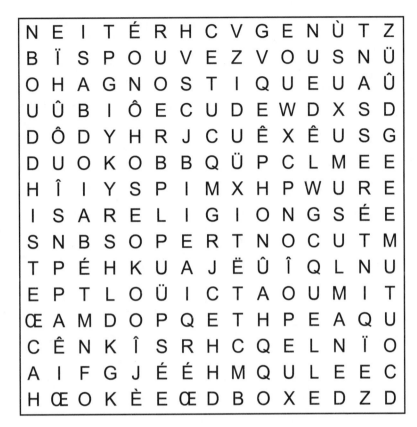

```
N E I T É R H C V G E N Ù T Z
B Ï S P O U V E Z V O U S N Ü
O H A G N O S T I Q U E U A Û
U Û B I Ô E C U D E W D X S D
D Ô D Y H R J C U Ê X Ê U S G
D U O K O B B Q Ü P C L M E E
H Î I Y S P I M X H P W U R E
I S A R E L I G I O N G S É É
S N B S O P E R T N O C U T M
T P É H K U A J Ë Û Î Q L N U
E P T L O Ü I C T A O U M I T
Œ A M D O P Q E T H P E A Q U
C Ê N K Î S R H C Q E L N Ï O
A I F G J É É H M Q U L E E C
H Œ O K È E Œ D B O X E D Z D
```

QUELLE est votre RELIGION ?
(What is your religion?)

Je suis AGNOSTIQUE.
(I am agnostic.)

Je suis ATHÉE.
(I am an atheist.)

Je suis CATHOLIQUE.
(I am Catholic.)

Je suis CHRÉTIEN / chrétienne.
(I am a Christian.)

Je suis musulman /
MUSULMANE.
(I am a Muslim.)

Je suis juif / JUIVE.
(I am Jewish.)

Je suis hindou / HINDOUE.
(I am Hindu.)

Je suis BOUDDHISTE.
(I am a Buddhist.)

Je suis sikh / SIKHE.
(I am a Sikh.)

Je ne suis pas CROYANT /
croyante.
(I am not religious.)

C'est CONTRE ma religion.
(It is against my beliefs.)

Est-ce que je PEUX prier ici ?
(Can I pray here?)

C'est une COUTUME locale ?
(Is this a local custom?)

C'est très INTÉRESSANT.
(It is very interesting.)

J'aimerais GOÛTER ce plat.
(I would like to try this dish.)

Je suis DÉSOLÉ / désolée si je
vous ai choqué / CHOQUÉE.
(I am sorry if I offended you.)

POUVEZ-VOUS m'en dire
PLUS ?
(Could you tell me more
about it?)

Ouvrages de langue française:
French Language Books

```
P E I G O L I R T E C O Q R H
E S T N E V F O U R M I S U É
T E À Ù D A M A N T U D B O R
I C N O I S N E T X E Œ B J I
T N G M E R S V I N G T C N S
P A O M B N O I S S I M U O S
R G R Ô J C R F L E U R S B O
I É I À V U E A S S A S S I N
N L O Y E E A E R I O L G T G
C É T P J Y N Ï T R M M Ë N Ü
E S U O Ç I O T Ç M Î Y Z A L
T T Ü E M A D E R T O N H F U
S M É C A N I Q U E S C Ï N T
H Y G I È N E D O M A I N E T
J S T N E M E L B M E R T E E
```

BONJOUR Tristesse
(Hello Sadness)

EXTENSION du *DOMAINE* de
la *LUTTE*
(Whatever)

HYGIÈNE de L'*ASSASSIN*
(Hygiene and the Assassin)

La *GLOIRE* de mon père
(My Father's Glory)

L'*AMANT* (The Lover)

La *MÉCANIQUE* du *CŒUR*
(The Boy with the
Cuckoo-Clock Heart)

La *TRILOGIE* des *FOURMIS*
(The Ant Trilogy)

Le *COMTE* de Monte-Cristo
(The Count of Monte Cristo)

L'*ÉLÉGANCE* du *HÉRISSON*
(The Elegance of the
Hedgehog)

L'*ENFANT* noir
(The African Child)

Le Père *GORIOT*
(Father Goriot)

Le *PETIT PRINCE*
(The Little Prince)

Les *FLEURS* du mal
(The Flowers of Evil)

Le *VENTRE* de l'Atlantique
(The Belly of the Atlantic)

NOTRE-DAME de Paris
(The Hunchback of Notre
Dame)

SOUMISSION (Submission)

STUPEUR et
TREMBLEMENTS
(Fear and Trembling)

VINGT mille lieues sous les
MERS
(Twenty Thousand Leagues
Under the Sea)

La nature: Nature

```
U Ô P À U E F E S A E G H V O
L E I C È E S E P N L O C A M
I W E Û F O L R U L B G O G P
E C V H C I X L D Ù A Ü Q U L
P G O É E T E R R E S N Ù E U
P W A L G R A Â R M T È È Ç I
G N O L L Î B B I F O R Ê T E
F S Â A P I R E V E L X H L E
É E S Î S A N E I N V E Ë O T
G I U S L O A E È G Û Ù U S N
G L E I V E N T R A N I M R A
L V A L L É E Y E T S E C À L
Ù P E C H L È S S N R A I Ç P
C E U L E S E R U O E V I G X
E D É T O I L E R M T H Ê R E
```

L'*AIR* (m) (Air)	La *FEUILLE* (Leaf)	La *MER* (Sea)
La *PLAGE* (Beach)	La *LUNE* (Moon)	Le *CIEL* (Sky)
La *TERRE* (Earth)	La *MONTAGNE* (Mountain)	La *NEIGE* (Snow)
La *FLEUR* (Flower)	L'*OCÉAN* (m) (Ocean)	L'*ÉTOILE* (f) (Star)
La *FORÊT* (Forest)	La *PLANÈTE* (Planet)	Le *SOLEIL* (Sun)
L'*HERBE* (f) (Grass)	La *PLANTE* (Plant)	L'*ARBRE* (m) (Tree)
La *COLLINE* (Hill)	La *PLUIE* (Rain)	La *VALLÉE* (Valley)
La *GLACE* (Ice)	La *RIVIÈRE* (River)	La *VAGUE* (Wave)
L'*ÎLE* (f) (Island)	Le *SABLE* (Sand)	Le *VENT* (Wind)

Les animaux: Creatures

```
N E E Ç E É N G I A R A D C E
N C U R E H E I Y C O C H O N
G E M Q V K S F H K X E B G Ç
E R I O O È U A A P V R A T E
U R E H U H H A V R U O É W M
T T A N C C P C E G I A D Ï A
R E Û M O Z H U L R B G D Ç T
O N C C A U I E S A U M O N O
T G O H C L I D R A N A C S P
N Y D H E B A L E I N E T R O
E C A È T V A C L Ù À H P E P
P T C R A P A U D E R C É N P
R R A F I E L L I E B A S A I
E L T N A H P É L É A V À R H
S E A L L I G A T O R Ç E D A
```

L'*ABEILLE* (f) (Bee)	Le *LAPIN* (Rabbit)	Le *CHIEN* (Dog)
L'*ARAIGNÉE* (f) (Spider)	Le *SERPENT* (Snake)	La *GRENOUILLE* (Frog)
Le *THON* (Tuna)	Le *DAUPHIN* (Dolphin)	Le *RAT* (Rat)
La *BALEINE* (Whale)	L'*ÉLÉPHANT* (m) (Elephant)	Le *SAUMON* (Salmon)
Le *CHEVAL* (Horse)	Le *PHOQUE* (Seal)	Le *CRAPAUD* (Toad)
La *CHÈVRE* (Goat)	Le *CHAT* (Cat)	Le *TAUREAU* (Bull)
L'*ALLIGATOR* (m) (Alligator)	L'*HIPPOPOTAME* (m) (Hippopotamus)	La *TORTUE* (Tortoise)
Le *CALAMAR* (Squid)		La *VACHE* (Cow)
Le *COCHON* (Pig)	La *GIRAFE* (Giraffe)	Le *CHEVREUIL* (Deer)
Le *CYGNE* (Swan)	La *MOUCHE* (Housefly)	Le *RENARD* (Fox)
	Le *CANARD* (Duck)	

Les plantes et les arbres: Plants and Trees

Ç	Œ	N	E	E	D	N	A	V	A	L	Î	W	M	N
E	S	E	T	T	E	R	E	U	Q	Â	P	Œ	P	T
G	N	O	S	S	I	U	B	E	L	Œ	A	Ê	Ê	C
I	E	A	R	B	R	E	Ç	L	E	S	L	C	P	H
T	Ï	P	V	M	N	L	Û	L	Ç	A	M	A	V	Â
O	H	É	T	I	E	F	L	I	À	L	I	C	I	T
C	G	T	C	G	H	I	A	U	B	I	E	T	O	A
I	E	A	R	B	U	S	T	E	H	L	R	U	L	I
L	R	L	Ô	Q	U	S	B	F	Z	Ê	R	S	E	G
E	S	E	N	E	P	R	Y	Ù	H	N	T	U	T	N
U	G	O	R	A	U	O	Â	L	E	Œ	A	R	T	I
Q	J	D	È	Y	R	S	L	S	Ë	S	H	G	E	E
O	È	Ô	È	F	P	E	O	L	E	N	Ê	H	C	R
C	I	R	R	T	U	L	I	P	E	N	I	P	É	D
Û	E	Ü	S	Œ	I	L	L	E	T	N	A	L	P	T

L'*ARBRE* (m) (Tree)

Le *BUISSON* (Bush)

La *PLANTE* (Plant)

La *FLEUR* (Flower)

La *FEUILLE* (Leaf)

La *TIGE* (Stem)

L'*ÉPINE* (f) (Thorn)

La *RACINE* (Root)

Le *PÉTALE* (Petal)

L'*ARBUSTE* (m) (Shrub)

Le *POLLEN* (Pollen)

Le *CHÊNE* (Oak)

L'*ORME* (m) (Elm)

Le *CÈDRE* (Cedar)

Le *HÊTRE* (Beech)

Le *CHÂTAIGNIER* (Chestnut)

Le *PALMIER* (Palm)

Le *CACTUS* (Cactus)

La *ROSE* (Rose)

La *TULIPE* (Tulip)

La *PÂQUERETTE* (Daisy)

La *VIOLETTE* (Violet)

L'*ŒILLET* (m) (Carnation)

Le *LYS* (Lily)

Le *TOURNESOL* (Sunflower)

La *JONQUILLE* (Daffodil)

Le *COQUELICOT* (Poppy)

Le *LILAS* (Lilac)

La *BRUYÈRE* (Heather)

La *LAVANDE* (Lavender)

La géographie: Geographical Features

```
C O D E U B Ï E N G A T N O M
O S O G A U A E S S I U R V É
L À E I E R N U W A È É M P G
L Ü E N T I P É N I N S U L E
I S A C A À E T T O R G E Ï L
N È E L L V T Ê R O F É Z É E
E À P G P E A R D Î L E T À P
Â D B V A R F S M L O R R A I
P L A G E C Z L A P C È E R H
N C S C I Ô É V O U É I S D C
A Ô S C S J F R Q G A V É N R
C T I Ç Q A L J A U N I D U A
L E N N U G C É O M E R C O E
O A C A N Y O N J R D E L T A
V Ü C E S I A L A F D B H U V
```

La *COLLINE* (Hill)

La *MONTAGNE* (Mountain)

La *RIVIÈRE* (River)

Le *LAC* (Lake)

La *MER* (Sea)

Le *RUISSEAU* (Stream)

La *FORÊT* (Forest)

L'*OCÉAN* (m) (Ocean)

L'*ÎLE* (f) (Island)

Le *DÉSERT* (Desert)

La *TOUNDRA* (Tundra)

La *PLAINE* (Plain)

La *BAIE* (Bay)

Le *MARÉCAGE* (Swamp)

La *PÉNINSULE* (Peninsula)

La *GROTTE* (Cave)

La *FALAISE* (Cliff)

La *CÔTE* (Coast)

La *VALLÉE* (Valley)

La *CASCADE* (Waterfall)

Le *VOLCAN* (Volcano)

Le *FJORD* (Fjord)

La *PLAGE* (Beach)

Le *GOLFE* (Gulf)

La *SAVANE* (Savanna)

Le *CANYON* (Canyon)

Le *BASSIN* (Basin)

Le *DELTA* (Delta)

Le *PLATEAU* (Plateau)

L'*ARCHIPEL* (m) (Archipelago)

81

Les urgences: Emergencies

```
U D R E P S R E I P M O P M É
E Ç Q U A M B U L A N C E U O
R I N C E N D I E M O D È T T
U A G P Ï L Â O È Â A T R C N
T Û U Ù O V O P H S Ô A Ù O E
I L T S C L A V S T N I G M D
O Â R A E S I A E Q E R H É I
V C O J S C B C U Q C A S D C
U H P É S M O I E Ü N S A E C
R E E Ê A U L U E W E S P C A
G Z S E R L Ë V R L G I P I T
E M S L E D U M B S R M E N Ô
N O A T R O U S S E U M L Ç Û
T I P E H Ô P I T A L O E Â Ù
L A I S S E Z M O I Ç C Z Z Ù
```

AU SECOURS !
   (Help!)

*LAISSEZ-MOI
   TRANQUILLE.*
   (Please go away.)

LÂCHEZ-MOI !
   (Let go!)

Au *VOLEUR* !
   (Stop, thief!)

C'est une *URGENCE*.
   (It is an emergency.)

Est-ce que vous avez une
   TROUSSE de secours ?
   (Do you have a first aid kit?)

APPELEZ la *POLICE*.
   (Call the police.)

Appelez un *MÉDECIN*.
   (Call a doctor.)

Appelez une *AMBULANCE*.
   (Call an ambulance.)

Appelez les *POMPIERS*.
   (Call the fire department.)

Que s'est-il *PASSÉ* ?
   (What happened?)

Il y a un *BLESSÉ*.
   (Someone is injured.)

Il y a un *INCENDIE*.
   (There is a fire.)

C'est très *URGENT*.
   (It is very urgent.)

Où est l'*AMBASSADE* ?
   (Where is the embassy?)

Où est l'*HÔPITAL* ?
   (Where is the hospital?)

Où est le *COMMISSARIAT* ?
   (Where is the police station?)

J'ai *PERDU* mon *PASSEPORT*.
   (I have lost my passport.)

J'ai eu un *ACCIDENT* de
   VOITURE.
   (I have crashed my car.)

La police: Police

```
N J Ê L T Ç T E Û Ç W Y Œ C E
Q I T D N N N T Â Ê I C I O V
G T O X Ô E E R V S L N M U L
V R É M È R G M P Ü É I P S L
A O Ê È É U R Ë M S S A É I T
L P H Î T T A A S O P Q L A É
I E A H A I N A G I C U Ë L L
S S Ù N I O P U E R Ë E B G É
E S D P T V Â R U N E Z Ô N P
À A C M Ç O S E F Q Q S Y A H
Q P C A A L A Ü T A L A S E O
U Ê K P S É N Î E À Ê E I É N
E L L I U E F E T R O P U X E
C O M M I S S A R I A T M Q Œ
Y Y Ô E I A N N O M E T R O P
```

Où est le *COMMISSARIAT* ?
(Where is the police station?)

On m'a volé / *VOLÉE*.
(I have been robbed.)

J'ai été *AGRESSÉ* / agressée.
(I have been mugged.)

Il / elle *ÉTAIT COMMENT* ?
(What did he/she look like?)

Y a-t-il un *TÉMOIN* ?
(Was there a witness?)

Où est-ce que ça s'est *PASSÉ* ?
(Where did it happen?)

C'est *LUI*. C'est elle.
(It was him. It was her.)

On m'a volé mon *SAC*.
(Someone has stolen my bag.)

On m'a volé mon *PORTE-MONNAIE*.
(Someone has stolen my purse.)

On m'a volé mon *ARGENT*.
(Someone has stolen my money.)

On m'a volé ma *VALISE*.
(Someone has stolen my suitcase.)

On m'a volé mon *TÉLÉPHONE*.
(Someone has stolen my phone.)

On m'a volé mon *PORTEFEUILLE*.
(Someone has stolen my wallet.)

On m'a volé mon *PASSEPORT*.
(Someone has stolen my passport.)

On m'a volé ma *VOITURE*.
(Someone has stolen my car.)

Où sont vos *PAPIERS* ?
(Where is your ID?)

VOICI mon passeport.
(Here is my passport.)

Il y a *QUELQU'UN* qui parle *ANGLAIS* ?
(Does someone speak English?)

La santé: Health

H	S	S	N	E	I	B	M	O	C	E	V	Û	E	A
S	S	T	I	A	R	D	U	A	F	H	P	Y	S	Z
E	U	E	N	I	C	E	D	É	M	C	L	S	Q	U
C	O	F	M	A	L	A	D	I	E	O	U	Û	H	X
O	V	F	Ü	O	F	D	É	P	T	R	S	Ô	U	À
N	Z	E	Q	Ù	O	N	Ï	N	A	P	P	E	H	A
D	E	N	T	I	S	T	E	N	E	I	P	P	É	U
A	D	K	S	H	R	G	C	R	T	È	V	H	Q	J
I	N	J	Î	N	R	E	D	A	C	M	G	A	Û	O
R	E	S	D	U	Ë	N	L	T	P	É	Ï	R	D	U
E	R	S	T	N	E	M	A	C	I	D	É	M	E	R
S	D	Ë	M	R	A	N	G	L	A	I	S	A	M	D
K	T	W	P	R	E	N	D	S	À	C	T	C	A	H
U	E	U	Q	I	G	R	E	L	L	A	Ê	I	I	U
T	N	E	M	E	D	I	P	A	R	L	A	E	N	I

Où est la *PHARMACIE* la plus proche ? (Where is the nearest pharmacy?)

Où est le *DENTISTE* le plus proche ? (Where is the nearest dentist?)

Où est le cabinet *MÉDICAL* le plus *PROCHE* ? (Where is the nearest doctor?)

Où est L'*HÔPITAL* le *PLUS* proche ? (Where is the nearest hospital?)

Il me *FAUDRAIT* un *RENDEZ-VOUS* le plus *RAPIDEMENT* possible. (I would like an appointment as soon as possible.)

Il me faudrait un rendez-vous *AUJOURD'HUI*. (I would like an appointment today.)

Il me faudrait un rendez-vous *DEMAIN*. (I would like an appointment tomorrow.)

C'est très *URGENT*. (It is very urgent.)

J'ai une *ASSURANCE MALADIE*. (I have health insurance.)

Il me faut un médecin qui parle *ANGLAIS*. (I need a doctor who speaks English.)

Est-ce que je *PEUX* voir une femme *MÉDECIN* ? (Could I see a female doctor?)

Je n'ai plus de *MÉDICAMENTS*. (I have run out of medication.)

Ce sont les médicaments que je *PRENDS* habituellement. (This is my usual medication.)

COMBIEN dois-je en prendre ? (How many should I take?)

Quand *DOIS-JE* les prendre ? (When should I take it?)

Est-ce que les *ENFANTS* peuvent en *PRENDRE* ? (Is it safe for children?)

Est-ce qu'il y a des *EFFETS SECONDAIRES* ? (Are there any side effects?)

Je suis *ALLERGIQUE* au / à la … (I am allergic to …)

Les maladies et les symptômes:
Illnesses and Symptoms

```
A T D H O Î É E I G R E L L A
X S S U L P Ë B E D A L A M F
È Ü D H A T N E M M E C É R A
E N O I Ï H B N Ê O T Ë I P I
U E C R A I C A M O T S E A B
Q L O E N R U O T E S Q T C L
I L N P G O R G E O R Ç Ê S E
T I S P P É Ù H N W X V T J A
A E T I E Ï S S É I U N È S É
M R I R Z R Y S G E E Ç E I K
H O P G Ê T R V E D I R S M F
T S É G G Ù H A O L M D S O R
S P I Q U E R P Z M B L U V O
A N O I T C E F N I I T O È I
É N O I T P U R É H B R T Y D
```

Je suis *MALADE*.
(I am sick.)

J'ai eu la *GRIPPE RÉCEMMENT*.
(I have recently had flu.)

Je me suis *BLESSÉ* / blessée.
(I have been injured.)

Je suis *TOMBÉ* / tombée.
(I fell.)

Je *VOMIS*.
(I have been vomiting.)

J'ai une *ÉRUPTION*.
(I have a rash.)

J'ai une *ALLERGIE*.
(I have an allergy.)

J'ai la *FIÈVRE*. (I have fever.)

Je suis *ASTHMATIQUE*.
(I have asthma.)

J'ai la *DIARRHÉE*.
(I have an upset stomach.)

J'ai mal à la *TÊTE*.
(I have a headache.)

J'ai une *INFECTION*.
(I have an infection.)

J'ai mal à L'*ESTOMAC*.
(I have a stomach ache.)

J'ai mal à L'*OREILLE* / aux oreilles.
(I have ear ache.)

J'ai mal à la *GORGE*.
(I have a sore throat.)

Je *TOUSSE*. (I have a cough.)

Je suis *CONSTIPÉ* / constipée.
(I have constipation.)

J'ai mal aux *DENTS*.
(I have a toothache.)

Je me suis fait *PIQUER*.
(I was stung.)

Je me sens *MIEUX*.
(I feel better.)

Je me sens *BIZARRE*.
(I feel strange.)

Je me sens *PLUS* mal.
(I feel worse.)

J'ai des *FRISSONS*.
(I feel shivery.)

Je me sens *FAIBLE*.
(I feel weak.)

J'ai la tête qui *TOURNE*.
(I feel dizzy.)

J'ai envie de *VOMIR*.
(I feel sick.)

J'ai *CHAUD*. (I feel hot.)

J'ai *FROID*. (I feel cold.)

Les parties du corps: Body Parts

```
A E S T O M A C W Ê Ç E N Û Z
N P B O Ù C M P G U V G O A E
É P I J O U E O L B Ë R T P G
U N O L A T T I É O H O N I R
P A R U D Q Œ T P U N G E E A
Ü O E O C U R R A C P I M D I
P X I P U E T I U H O Â A J N
V G L G O I L N L E C U A M D
T E L Ê N Ô I E E H Y M D Î E
E N E Ë G E E D O Ü B G E E B
G O N Y L Ê T I O E T D S B E
A U V T E W R G Ù S A A Ù I A
S N R Y Ê E O F Ù V R E F È U
I Û E Ç Ü T E T Ô B Î X O A T
V Ù Â Z C H E L L I V E H C É
```

Le *BRAS* (Arm)

Le *COUDE* (Elbow)

La *TÊTE* (Head)

L'*ÉPAULE* (f) (Shoulder)

La *POITRINE* (Chest)

L'*ESTOMAC* (m) (Stomach)

La *JAMBE* (Leg)

Le *PIED* (Foot)

La *MAIN* (Hand)

L'*ORTEIL* (m) (Toe)

Le *DOIGT* (Finger)

Le *GENOU* (Knee)

L'*ŒIL* (m) (Eye)

La *PEAU* (Skin)

La *BOUCHE* (Mouth)

La *GORGE* (Throat)

Le *VISAGE* (Face)

Le *NEZ* (Nose)

L'*OREILLE* (f) (Ear)

La *MÂCHOIRE* (Jaw)

La *JOUE* (Cheek)

Le *MENTON* (Chin)

L'*ONGLE* (m) (Nail)

Le *POUCE* (Thumb)

Le *POIGNET* (Wrist)

La *CHEVILLE* (Ankle)

Le *TALON* (Heel)

Le *GRAIN DE BEAUTÉ* (Mole)

Le *DOS* (Back)

Les problèmes: Problems

```
E I A N N O M E T R O P U R Ê
K É È Y O J V J M A I D E R B
D É S O R I E N T É V L R É A
Q S B K R N V I G O É N B P G
D M T K D D A A I Ù S M M A A
E A T M R F I T I U S A A R G
N R E R A B U N A Â E L H E E
N T I Ç T R Œ P A T L A C R S
A P U A E R P O E T B D À À L
P H Q Ü R A Ï H É R E E O A E
È O N L R O G A Z L D U M Ù T
Q N I E Ç C H C S W U U R Ù Ô
E E I Q T É L É P H O N E V H
V L P A S S E P O R T É N Ô Î
B E L L I U E F E T R O P A O
```

Je me suis perdu / *PERDUE*.
(I am lost.)

Je me suis *FAIT* mal.
(I am hurt.)

Je suis *BLESSÉ* / blessée.
(I am injured.)

Je suis *MALADE*. (I am ill.)

Je suis *DÉSORIENTÉ* /
désorientée. (I am confused.)

Je suis *INQUIET* / inquiète.
(I am worried.)

Pouvez-vous m'*AIDER* ?
(Can you help me?)

Je peux utiliser votre
TÉLÉPHONE ?
(Can I use your phone?)

Ma *VOITURE* est tombée en
PANNE.
(My car has broken down.)

J'ai perdu mes *BAGAGES*.
(I have lost my luggage.)

J'ai perdu mon *PASSEPORT*.
(I have lost my passport.)

J'ai perdu mon
PORTEFEUILLE.
(I have lost my wallet.)

J'ai perdu mon
PORTE-MONNAIE.
(I have lost my purse.)

Je dois faire *RÉPARER* mon
APPAREIL photo.
(My camera needs to be
repaired.)

Je dois faire réparer mon
ORDINATEUR.
(My computer needs to be
repaired.)

Je dois faire réparer mon
SMARTPHONE.
(My smartphone needs to be
repaired.)

J'ai raté mon *AVION*.
(I have missed my flight.)

Je n'aime pas mon *HÔTEL*.
(I do not like my hotel.)

Je n'aime pas ma *CHAMBRE*.
(I do not like my room.)

Je souffre du décalage
HORAIRE.
(I have jetlag.)

Mon vol a du *RETARD*.
(My flight is delayed.)

Mon vol a été *ANNULÉ*.
(My flight has been
cancelled.)

Au restaurant: Eating Out

```
C A N Ô C S U O V Z E V U O P
D A O A T C M U V Z Ù P P D B
A L S X D T O À J Ï E Â E É C
T Î S B E R D N E R P Ë K J X
T R I O B O I S S O N S D E S
E E U I A V E O S E A D É U E
N V C R È R N A É F I S S N R
T R Ô E B N Œ V M Ï È L O E V
E E H I E Û O Y R Û Ç R L R E
È S L S B U P H E Â Z E É E Z
I É Ç B D A D É F U N G E D R
Q R Ô R A Q R Î Q A M N Ê N C
K Ï A A Ë T P U N E M A H A É
T I T E P H E U R E S M F I W
S T N A R U A T S E R É T V Î
```

Le *PETIT* déjeuner (Breakfast)

Le *DÉJEUNER* (Lunch)

Le *DÎNER* (Dinner)

MANGER (Eat)

BOIRE (Drink)

Je vais *PRENDRE* …
(I would like …)

POUVEZ-VOUS me / nous
conseiller un *BAR* ?
(Can you recommend a
bar?)

Pouvez-vous me / nous
CONSEILLER un *CAFÉ* ?
(Can you recommend a
café?)

Pouvez-vous me /
nous conseiller un
RESTAURANT ?
(Can you recommend a
restaurant?)

Vous *SERVEZ* encore ?
(Are you still serving food?)

Je suis désolé / *DÉSOLÉE*,
nous sommes *FERMÉS*.
(Sorry, we are closed.)

Nous n'avons plus de tables
LIBRES.
(We have no free tables.)

Je voudrais *RÉSERVER* une
TABLE.
(I would like to reserve a
table.)

Pour … *PERSONNES*.
(For … people.)

À … *HEURES*. (At … o'clock)

Quel est le temps *D'ATTENTE* ?
(How long is the wait?)

Je *VOUDRAIS* la carte des
BOISSONS, s'il vous plaît.
(I would like the drinks list,
please.)

Je voudrais le *MENU*, s'il vous
plaît.
(I would like the menu,
please.)

Quelle *CUISSON* pour votre
VIANDE ? (How would you
like your meat cooked?)

Au menu: On the Menu

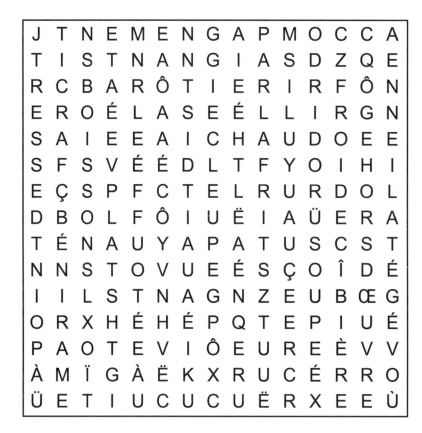

```
J  T  N  E  M  E  N  G  A  P  M  O  C  C  A
T  I  S  T  N  A  N  G  I  A  S  D  Z  Q  E
R  C  B  A  R  Ô  T  I  E  R  I  R  F  Ô  N
E  R  O  É  L  A  S  E  É  L  L  I  R  G  N
S  A  I  E  E  A  I  C  H  A  U  D  O  E  E
S  F  S  V  É  É  D  L  T  F  Y  O  I  H  I
E  Ç  S  P  F  C  T  E  L  R  U  R  D  O  L
D  B  O  L  F  Ô  I  U  Ë  I  A  Ü  E  R  A
T  É  N  A  U  Y  A  P  A  T  U  S  C  S  T
N  N  S  T  O  V  U  E  É  S  Ç  O  Î  D  É
I  I  L  S  T  N  A  G  N  Z  E  U  B  Œ  G
O  R  X  H  É  H  É  P  Q  T  E  P  I  U  É
P  A  O  T  E  V  I  Ô  E  U  R  E  È  V  V
À  M  Ï  G  À  Ë  K  X  R  U  C  É  R  R  O
Ü  E  T  I  U  C  U  C  U  Ë  R  X  E  E  Ù
```

Les *HORS-D'ŒUVRE* (mpl) (Appetisers)

La *BIÈRE* (Beer)

La *SOUPE* (Soup)

L'*ENTRÉE* (f) (Starter)

La *SALADE* (Salad)

Le *DESSERT* (Dessert)

Les *BOISSONS* non alcoolisées (fpl) (Soft drinks)

Les *PLATS* principaux (mpl) (Main courses)

FRIT / frite (Fried)

Sauté / *SAUTÉE* (Sautéed)

RÔTI / rôtie (Roasted)

À POINT (Medium)

SAIGNANT / saignante (Rare)

Bien cuit / bien *CUITE* (Well done)

À la *VAPEUR* (Steamed)

En *ACCOMPAGNEMENT* (On the side)

FARCI / farcie (Stuffed)

Cru / *CRUE* (Raw)

MARINÉ / marinée (Marinated)

BOUILLI / bouillie (Boiled)

À la pâte à *FRIRE* (In batter)

Grillé / *GRILLÉE* (Grilled)

VÉGÉTARIEN / végétarienne (Vegetarian)

Végétalien / *VÉGÉTALIENNE* (Vegan)

SALÉ / salée (Cured)

À L'*ÉTOUFFÉE* (Stewed)

Épicé / *ÉPICÉE* (Spicy)

CHAUD / chaude (Hot)

Froid / *FROIDE* (Cold)

Les boissons: Drinks

```
D A W Ï T C T A L O C O H C E
U Ù O N I C C U P P A C V Ù E
A T A N A N A S C I T R O N G
H N O Ï L C R X Y P E È Â I N
C T R E V J A H Ù O R S A O A
É I M O D Ô E F U M È Ô I Ë R
E H E H U S N O É M I R O U O
Ï L T L U G I F È E B È P O S
W O L E L B E L I M O N A D E
E Ï Z I E I E T A M O T Ù Ü T
G A Ü T M E E X P R E S S O A
G L A C É O S T C C L R P Ô L
Î U U J Z A M O U E R R E V P
T G M Q W T C A C O S É V P Î
Ï À E S S A T È C V B L A N C
```

La *BOUTEILLE* (Bottle)

Le *VERRE* (Glass)

La *TASSE* (Cup)

Le *MUG* (Mug)

Le *LAIT* (Milk)

Le *CITRON* (Lemon)

Le *THÉ* (Tea)

Le *CAFÉ* au lait (Coffee with milk)

Le café *NOIR* (Black coffee)

L'*EXPRESSO* (m) (Espresso)

Le *CAPPUCCINO* (Cappuccino)

Le thé *VERT* (Green tea)

La *CAMOMILLE* (Chamomile)

Le *CHOCOLAT* chaud (Hot chocolate)

La *LIMONADE* (Lemonade)

Le jus d'*ORANGE* (Orange juice)

Le jus d'*ANANAS* (Pineapple juice)

Le jus de *POMME* (Apple juice)

Le jus de *TOMATE* (Tomato juice)

Le vin *CHAUD* (Mulled wine)

Le *COCA* (Cola)

Le café *GLACÉ* (Iced coffee)

Le gin *TONIC* (Gin and tonic)

L'eau *PLATE* (f) (Still water)

L'eau *GAZEUSE* (f) (Sparkling water)

La *BIÈRE* (Beer)

Le vin *BLANC* (White wine)

Le vin *ROUGE* (Red wine)

Le *RHUM* (Rum)

Hommes et femmes d'État français:
French Statesmen and Politicians

```
J A U R È S T H I E R S N P D
Ç Q E L L U A G E D Â O Z O F
N P E P P I L I H P S Ô U M B
I I D É F B S S R S N M A P O
J U P P É A Ï E E I E I Y I N
Ü R U S R F H R P R N T R D A
Ü V U K O C C E G L O T A O P
Ç Œ O D L J L U O É R E U U A
A Z A Œ A L E U À Ô C R L R R
Y Â H U I L B S P S A R T E T
I C T V R E L B L È M A C Y E
S D E V T I N A L L J N O N I
E D N A L L O H B U A D T A N
C H I R A C F L S Ê M V Y U È
C A Z E N E U V E Ô É O J D X
```

Vincent *AURIOL*	Charles *DE GAULLE*	Emmanuel *MACRON*
Jean-Marc *AYRAULT*	Dominique *DE VILLEPIN*	François *MITTERRAND*
Édouard *BALLADUR*	Gaston *DOUMERGUE*	Édouard *PHILIPPE*
Léon *BLUM*	Laurent *FABIUS*	Georges *POMPIDOU*
Napoléon *BONAPARTE*	François *HOLLANDE*	Paul *REYNAUD*
Bernard *CAZENEUVE*	Jean *JAURÈS*	Nicolas *SARKOZY*
Jacques *CHIRAC*	Lionel *JOSPIN*	Victor *SCHŒLCHER*
René *COTY*	Alain *JUPPÉ*	Adolphe *THIERS*
Édith *CRESSON*	Émile *LOUBET*	Manuel *VALLS*

La nourriture: Food

```
U S R L E Ù A C G S Z E U H L
I Î A Â P I À R É I M S U B É
O I G A U N A X R R E Y C F G
T B O O O I O F U N É O R I U
È G Û Ë S Û R S I A Q A P B M
S K T S Q Ô B É S U R H L R E
E R E L M I T E E I À É N E S
N S À A S O L V B P O Ê N S S
I È G C R L O N I A P P T I V
M E U P I L V I A N D E R G M
A I L U A E T Â G Œ Ç A U Q Ç
T Œ O I S E D I C U L G O X Û
I N L S U C R E U F Û L A P L
V L È Ô À H S C E S A K Y A O
E P Â T E S E F S T I U R F S
```

Le *BISCUIT* (Biscuit)

Le *PAIN* (Bread)

Le *GÂTEAU* (Cake)

Les *GLUCIDES* (mpl) (Carbohydrates)

Les *CÉRÉALES* (fpl) (Cereal)

Le *FROMAGE* (Cheese)

Les *ŒUFS* (mpl) (Eggs)

Les *GRAISSES* (fpl) (Fats)

Les *FIBRES* (fpl) (Fibre)

Le *POISSON* (Fish)

Les *FRUITS* (mpl) (Fruit)

Les légumes *SECS* (mpl) (Legumes)

La *VIANDE* (Meat)

Le *LAIT* (Milk)

Les *MINÉRAUX* (mpl) (Minerals)

Les *NOUILLES* (fpl) (Noodles)

Les fruits à *COQUE* (mpl) (Nuts)

L'*HUILE* (f) (Oil)

Les *PÂTES* (fpl) (Pasta)

La *VOLAILLE* (Poultry)

Les *PROTÉINES* (fpl) (Protein)

Le *RIZ* (Rice)

La *SOUPE* (Soup)

Le *RAGOÛT* (Stew)

Le *SUCRE* (Sugar)

Les *LÉGUMES* (mpl) (Vegetables)

Les *VITAMINES* (fpl) (Vitamins)

Le *YAOURT* (Yogurt)

Les viandes et les poissons: Meat and Fish

```
O Q E I J À P I D R A M O H P
X Z N A Ë X É O T S E L U O M
C U I S S E C H I Ê S T E A K
C E D R Ï R O T C S O H U X D
R S R Œ O N Ü R E A S M V P U
E S A P R H K U Œ L H O G Q A
V I S D A Â C I H Q I F N É L
E C E D B C U T N E X F U W L
T U Ç E A A E E I D K Ê Œ I
T A N N E D P B X Q P N À O B
E S A N A O A G E D N A I V A
Û R G R U R E P L U O P L D C
D A U L C A L A M A R M Ç B Â
E A E S E U Q C A J T N I A S
D T S A U M O N N O B M A J À
```

Le *JAMBON* (Ham)

Le *BŒUF HACHÉ* (Ground beef)

Le *STEAK* (Steak)

La *SAUCISSE* (Sausage)

L'*AGNEAU* (m) (Lamb)

Le *CHORIZO* (Chorizo)

Le *CANARD* (Duck)

Le *POULET* (Chicken)

La *DINDE* (Turkey)

L'*OIE* (f) (Goose)

Le *LAPIN* (Rabbit)

Le *PORC* (Pork)

Le *THON* (Tuna)

Le *CALAMAR* (Squid)

Le *CABILLAUD* (Cod)

Le *BAR* (Sea bass)

La *DAURADE* (Sea bream)

La *SARDINE* (Sardine)

Le *CRABE* (Crab)

Le *HOMARD* (Lobster)

Le *POULPE* (Octopus)

La *CREVETTE* (Shrimp)

Le *FILET* (Fillet)

La *CUISSE* (Leg)

Les *MOULES* (fpl) (Mussels)

Le *SAUMON* (Salmon)

La coquille *SAINT-JACQUES* (Scallop)

La *TRUITE* (Trout)

La *VIANDE* (Meat)

Le *POISSON* (Fish)

Les fruits et légumes: Fruits and Vegetables

```
E N I R A T C E N B P L I A S
N A N A N A S I L O C O R B O
T Œ S Ê A N I S I A R Ê V Y R
N R S Ê S I O P S T I T E P A
O R E S D R A N I P É O I R N
N T S V E R B M O C N O C C G
G O I O E L L I T R Y M C M E
I C R P O I V R O N D A A N E
P I E T N E M I P B R N O H E
M R C À O F G Â A O G N C Ô R
A B P Y R M P N T U G Ê Q Œ R
H A O A K O A T E I P R U N E
C E I È M N E T O Ô Ü Ô O W T
Î S R M E C É L E R I A Ü Y E
E R E S S U O M E L P M A P T
```

L'*ORANGE* (f) (Orange)

Le *CITRON* (Lemon)

La *PÊCHE* (Peach)

La *NECTARINE* (Nectarine)

Le citron *VERT* (Lime)

Les *CERISES* (fpl) (Cherries)

L'*ABRICOT* (m) (Apricot)

La *PRUNE* (Plum)

Le *PAMPLEMOUSSE*
(Grapefruit)

La *MYRTILLE* (Blueberry)

La *FRAISE* (Strawberry)

L'*ANANAS* (m) (Pineapple)

Le *RAISIN* (Grapes)

La *POIRE* (Pear)

La *POMME* (Apple)

La *MANGUE* (Mango)

La *BANANE* (Banana)

La pomme de *TERRE* (Potato)

Le *POIVRON* (Pepper)

La *CAROTTE* (Carrot)

Le *PIMENT* (Chili)

La *TOMATE* (Tomato)

L'*OIGNON* (m) (Onion)

L'*AIL* (m) (Garlic)

Le *CHAMPIGNON* (Mushroom)

Les *PETITS POIS* (mpl) (Peas)

Le *CONCOMBRE* (Cucumber)

Les *ÉPINARDS* (mpl) (Spinach)

Les *BROCOLIS* (mpl) (Broccoli)

Le *CÉLERI* (Celery)

Les ustensiles de cuisine et la vaisselle:
Kitchen and Tableware

```
F P U Ô F O U R C H E T T E S
Û O O T E U O F P P N I Z M E
G Ê U U N B È Û Â I L È R O R
O L V R L A E R V Ë B W U N V
U E R E N E A L V E R R E O I
B C E N E E N Q O E G S X C E
O O B I P Û A I P R P J I É T
U C O S U Ï Ê U I A E Œ M A T
T O Î I O S O L T A S S E P E
E T T U S C O U T E A U S L J
I T E C É Ç L U B É Î M B A P
L E E D Ô E C O E S L A L Q C
L P A S S O I R E E T P O U È
E M E A S S I E T T E F B E U
T N O H C U O B E R I T P R L
```

Le *FOUET* (Whisk)

La planche à *DÉCOUPER* (Cutting board)

La *PLAQUE* de four (Baking sheet)

Le couteau de *CUISINE* (Chef's knife)

L'*ÉCONOME* (m) (Peeler)

L'*OUVRE-BOÎTE* (m) (Can opener)

Le *TIRE-BOUCHON* (Corkscrew)

La *RÂPE* (Grater)

La cuillère en *BOIS* (Wooden spoon)

La *SPATULE* (Spatula)

La *POÊLE* (Frying pan)

Le *FOURNEAU* (Stove)

La poêle *GRIL* (Griddle pan)

La *PASSOIRE* (Colander)

La *CASSEROLE* (Saucepan)

La *COCOTTE* (Casserole dish)

Le cul de *POULE* (Mixing bowl)

Le *MIXEUR* (Blender)

La cuillère à *SOUPE* (Soup spoon)

La *FOURCHETTE* (Fork)

Le *COUTEAU* (Knife)

L'*ASSIETTE* (f) (Plate)

Le *BOL* (Bowl)

La *TABLE* (Table)

Le *VERRE* (Glass)

Le verre à *VIN* (Wineglass)

La *TASSE* (Cup)

La *SERVIETTE* (Napkin)

La *BOUTEILLE* (Bottle)

Les fines herbes et les épices: Herbs and Spices

```
G Ô E M O M A D R A C U M I N
Ë M J U P Y V A E L L I N A V
N C S L I H G I N G E M B R E
N J A U M T È M M U S C A D E
N A F O E V E Ê É È T G S Q C
A M R M N N L L P E R S I C I
G A A I T I I L O A A E L I T
I Ï N H U O A O I N G N I B R
R Q E O T U Ô N V E O I C O O
O U N É R Ù S J R T N A P U N
L E G I R O F L E H Ï R N L N
F I E D R A T U O M Ë G Ü E E
X R E R O M A R I N Ô K Ç T L
O Z L A C E L L E N N A C T L
A K I R P A P C A Y E N N E E
```

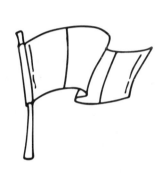

Le piment de la *JAMAÏQUE* (Allspice)

L'anis *ÉTOILÉ* (m) (Star anise)

Le *BASILIC* (Basil)

La feuille de *LAURIER* (Bayleaf)

La *CARDAMOME* (Cardamom)

Le poivre de *CAYENNE* (Cayenne pepper)

Le *PIMENT* (Chili)

La *CIBOULETTE* (Chives)

La *CANNELLE* (Cinnamon)

Les clous de *GIROFLE* (mpl) (Cloves)

Le *CUMIN* (Cumin)

L'*ANETH* (m) (Dill)

Le *FENOUIL* (Fennel)

L'*AIL* (m) (Garlic)

Le *GINGEMBRE* (Ginger)

La *CITRONNELLE* (Lemon grass)

La *MENTHE* (Mint)

La *MOUTARDE* (Mustard)

La noix *MUSCADE* (Nutmeg)

L'*ORIGAN* (m) (Oregano)

Le *PAPRIKA* (Paprika)

Le *ROMARIN* (Rosemary)

Le *SAFRAN* (Saffron)

L'*ESTRAGON* (m) (Tarragon)

Le *THYM* (Thyme)

La *VANILLE* (Vanilla)

MOULU / moulue (Ground)

En *GRAINS* (Whole)

Les *GRAINES* (fpl) (Seeds)

Les grains de *POIVRE* (mpl) (Peppercorns)

Vins et régions viticoles français:
French Wine and Wine-Producing Regions

```
Ë E S R O C S É M I L L O N Z
B Ü Y A M A G H M M Î C S Ê C
E P R O V E N C E L Ü H Î S B
S N M E L O I R E E O A Y E C
I D G C E È I D N N Û R J O Q
A J È A S N E E M Ô A D L Ë L
L U X S P F G E E H F O B À A
O R Û L R M R A E R M N O T N
J A O A Û L A I T B E N U L G
U T N E O O D H A E À A R U U
A C V T C R V R C Û R Y G A E
E E H C A N E R G Î V B O S D
B Ë B C B O R D E A U X G N O
H D I R E I N G O I V A N I C
É P M N O R M A N D I E E C Y
```

Regions

L'*ALSACE*

La *BRETAGNE*

La *CORSE*

L'*ÎLE-DE-FRANCE*

Le *JURA*

Le *LANGUEDOC*

La *LOIRE*

La *NORMANDIE*

La *PICARDIE*

La *PROVENCE*

Le *RHÔNE*

La *SAVOIE*

Wines

Le *BEAUJOLAIS*

Le *BORDEAUX*

Le *BOURGOGNE*

Le *CHAMPAGNE*

Le *CHARDONNAY*

Le *CINSAULT*

Le *COLOMBAR*

Le *GAMAY*

Le *GRENACHE*

Le *MERLOT*

Le pinot *NOIR*

Le *SÉMILLON*

Le *SYRAH*

Le *VIOGNIER*

Les gens: People

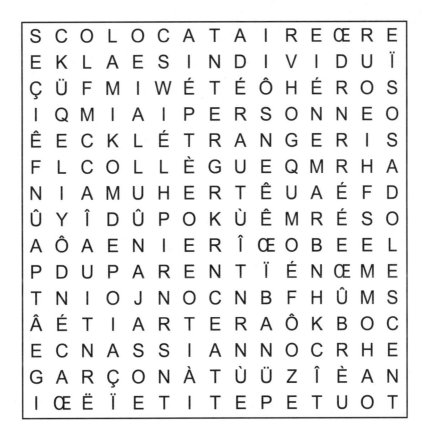

```
S C O L O C A T A I R E Œ R E
E K L A E S I N D I V I D U Ï
Ç Ü F M I W É T É Ô H É R O S
I Q M I A I P E R S O N N E O
Ê E C K L É T R A N G E R I S
F L C O L L È G U E Q M R H A
N I A M U H E R T Ê U A É F D
Û Y Î D Û P O K Ù Ê M R É S O
A Ô A E N I E R Î Œ O B E E L
P D U P A R E N T Ï É N Œ M E
T N I O J N O C N B F H Û M S
Â É T I A R T E R A Ô K B O C
E C N A S S I A N N O C R H E
G A R Ç O N À T Ù Ü Z Î È A N
I Œ Ë Ï E T I T E P E T U O T
```

L'*ÊTRE HUMAIN* (m)
   (Human being)

L'*INDIVIDU* (m) (Individual)

La *PERSONNE* (Person)

L'*HOMME* (m) (Man)

Le *MARI* (Husband)

La *FEMME* (Woman/wife)

Le *GARÇON* (Boy)

La *FILLE* (Girl)

Le *BÉBÉ* (Baby)

Le tout-petit /
   la *TOUTE-PETITE*
   (Toddler)

L'*ENFANT* (m/f) (Child)

L'*ADULTE* (m/f) (Adult)

L'*ADOLESCENT* / l'adolescente
   (Teenager)

Le *RETRAITÉ* / la retraitée
   (Retiree)

La *CONNAISSANCE*
   (Acquaintance)

L'*AMI* / l'amie (Friend/Partner)

Le *PARENT* / la parente
   (Relative)

Le collègue / la *COLLÈGUE*
   (Colleague)

Le *HÉROS* (Hero)

L'*HÉROÏNE* (f) (Heroine)

Le *ROI* (King)

La *REINE* (Queen)

Le Colocataire /
   la *COLOCATAIRE* (Flatmate)

L'*ÉTRANGER* / l'étrangère
   (Stranger)

Le *CONJOINT* / la conjointe
   (Spouse)

Les traits de caractère: Personality Traits

```
H E I N E T N A I C U O S N I
O I E U Q I H T A P M Y S T N
N A Ô X U E G A R U O C M E Y
N G P A R E S S E U X P S B U
Ê U E N E Ï À L L G O U H T G
T T U É Ü S B F R L E Ù Ê Ê É
E I Q G B A U I I I Û T E G N
T M I L M A N E T A E Ü O E É
N I T I I C V I M S B Ï T N R
E D A G H T B A U R S L I N E
D E N E Ç M N E R T A Ë E U U
U W U N A U N E E D U H É Y X
R X L T V Â H T G O E H C E Ü
P À Ï Ô R E L È D I F G È U Ç
N F Ô C T N A M R A H C E X Â
```

Ambitieux / *AMBITIEUSE* (Ambitious)

AIMABLE (Amiable)

GRINCHEUX / grincheuse (Bad-tempered)

Crâneur / *CRÂNEUSE* (Big-headed)

COURAGEUX / courageuse (Brave)

Insouciant / *INSOUCIANTE* (Carefree)

NÉGLIGENT / négligente (Careless)

Prudent / *PRUDENTE* (Cautious)

CHARMANT / charmante (Charming)

Gai / *GAIE* (Cheerful)

ENNUYEUX / ennuyeuse (Dull)

Charmeur / *CHARMEUSE* (Flirtatious)

SYMPATHIQUE (Friendly)

GÉNÉREUX / généreuse (Generous)

HONNÊTE (Honest/trustworthy)

GENTIL / gentille (Kind)

PARESSEUX / paresseuse (Lazy)

FIDÈLE (Loyal)

LUNATIQUE (Moody)

Poli / *POLIE* (Polite)

FIABLE (Reliable)

ÉGOÏSTE (Selfish)

TIMIDE (Shy)

TÊTU / têtue (Stubborn)

Bavard / *BAVARDE* (Talkative)

L'apparence physique – le visage:
Physical Appearance – Face

```
O M D T N E M E C N O R F L Ç
E A N Ô U S È R P E D É S A R
T R A S L E É O F O U R N I S
T R R L F Ê Ù U É Ù Ë K Ç S U
E O G I F O S S E T T E T Z X
S N È C U Ê R S B K À R J U N
I O B R O X U E R U E H E P À
O S L U J E X U T V A I C O M
N C E O Z U D R Ô R R È N I A
E R U S E E R È Œ É O G A N I
R O S Y O N N Z S Œ É U S T G
O C V Ê È R S É U Q R A S U R
N H É A Ô S N O T U O B I S E
D U I I L V I S A G E Z A C É
T R I S T E F M E N O T N E M
```

Le *NEZ* (Nose)

GRAND (Big)

POINTU (Pointed)

CROCHU (Hooked)

RETROUSSÉ (Snub)

La tache de *NAISSANCE*
(Birthmark)

La *FOSSETTE* (Dimple)

Le double *MENTON*
(Double chin)

Le *FRONCEMENT* de sourcils
(Frown)

Le *VISAGE* (Face)

HEUREUX (Happy)

ROND (Round)

TRISTE (Sad)

SÉRIEUX (Serious)

OVALE (Oval)

MAIGRE (Thin)

Les *SOURCILS* (mpl)
(Eyebrows)

ARQUÉS (Arched)

FOURNIS (Bushy)

FINS (Thin)

JOUFFLU / joufflue
(Chubby-cheeked)

RASÉ DE PRÈS
(Clean-shaven)

Les joues *ROSES* (fpl)
(Rosy cheeks)

Les *YEUX* (mpl) (Eyes)

MARRON (Brown)

BLEUS (Blue)

NOISETTE (Hazel)

VERTS (Green)

Les *BOUTONS* (mpl) (Spots)

Les taches de *ROUSSEUR* (fpl)
(Freckles)

L'apparence physique – le corps:
Physical Appearance – Body

```
N E É Z N O R B E E N A R G T
F É Â L G Q E Ê Z Î T L D É V
S È À R Ü L P E F H V Ü I V Ê
Î É A Ü L H R O L O K S I D S
C N D E À I V É T R R S Y O A
D H Y U Œ T F M E A T R C I
Ê V A L I I T I A G L G E O L
X O C R Q S N J E I E É P R E
Ë U M U P C A P O R B U À P L
E H E A E E S N E L J L É U L
V Œ S I I N N P T T I E E L I
U L X Ç V G Z T R M I E U E A
B P A I Ô I R Ô E O Ç T S N T
Y Ï F I É L Q E Z S C G E C E
Â F È K D E É L C S U M C E S
```

MAIGRE (Thin/skinny)

MINCE (Slim)

GROS / grosse (Fat)

POTELÉ / potelée (Chubby)

FAIBLE (Weak)

Petit / PETITE (Short/small)

GRAND / grande (Tall)

De TAILLE moyenne
(Average/medium height)

Musclé / MUSCLÉE (Muscular)

De CORPULENCE moyenne
(Medium build)

Grand et fort / grande et FORTE
(Large/big)

ATHLÉTIQUE (Athletic)

LAID / laide (Ugly)

Beau / BELLE
(Beautiful/good-looking)

Joli / JOLIE (Pretty)

JEUNE (Young)

VIEUX / vieille (Old)

SÉDUISANT / séduisante
(Attractive)

Le CORPS (Body)

Le VISAGE (Face)

La CHARPENTE (Frame)

La LIGNE (Figure)

À la peau CLAIRE
(Fair-skinned)

Bronzé / BRONZÉE (Tanned)

L'apparence physique – les cheveux:
Physical Appearance – Hair

```
S S A R G E E Q X U O R S K I
E S S S T Î U B L A J C U E
H E Ï H E Œ B L Q K O C E B À
C N S É M D A R O U N N S K S
R R T R X N I H I O R C G E B
U E N I C M I A N L O R L S L
O T I S A È N G R U L U E N O
F N E S S C I X P E C A N P N
L I T É V H U E E I S S N F D
É A N S C E R V L N É S R T S
R T V Ç V S U L I L Ï I O Ü S
R Â U E X A E F U Â S Ï M R F
A H H K H P L D S É C N O F B
C C G C J C N É S T R U O C A
H R I M R O B O U C L É S E Y
```

La coupe au *CARRÉ* (Bob)

Le *CHIGNON* (Bun)

Les cheveux en *BROSSE* (mpl) (Crew cut)

La queue de *CHEVAL* (Ponytail)

La *PERRUQUE* (Wig)

CHAUVE (Bald)

Les *PELLICULES* (fpl) (Dandruff)

Les *MÈCHES* (fpl) (Highlights)

Les *FOURCHES* (fpl) (Split ends)

COUPER (To cut)

Les *CHEVEUX...* (mpl) (Hair)

...*BOUCLÉS* (Curly)

...*SECS* (Dry)

...*TERNES* (Dull)

...*TEINTS* (Dyed)

...*FINS* (Fine)

...*FRISÉS* (Frizzy)

...*GRAS* (Greasy)

...*LONGS* (Long)

...*BLONDS* (Blond)

...*FONCÉS* (Dark)

...*CHÂTAIN* (Brunette)

...*ROUX* (Red)

...*BLANCS* (White)

...*BRILLANTS* (Shiny)

...*COURTS* (Short)

...*HÉRISSÉS* (Spiky)

...*RAIDES* (Straight)

...*ONDULÉS* (Wavy)

À Paris: In Paris

```
P A Y U O U R C Q U E D E S J
U S P A N T H É O N M É Î E V
U I C K S Ü F K S L A Ï M L H
V A A I E R G I L A D Ê R L Ü
A R T N N M O Ô K Y E T U I S
N A A V Î É Ô D L O R R Œ A E
É M C A R Ü A E T R T I C S G
I Q O L Ê E F Q O S O O É R S
D V M I L F I Y U I N M R E O
L E B D I Ù K N L A F P C V V
O N E E Ç O T M R L D H A E E
U D S S T K Ç È M A U E S R N
V Ô U O D I P M O P G S B T I
R M O U L I N R O U G E Ë E E
E E I S I N E D T N I A S Ï S
```

L'Arc de *TRIOMPHE*

Le canal de L'*OURCQ* (canal)

Le Centre *POMPIDOU*
(The Pompidou Centre)

CINÉAQUA (Paris Aquarium)

La tour *EIFFEL*
(The Eiffel Tower)

La Coulée *VERTE* (park)

Le *MARAIS*
(The Marais – historic
district)

Les *CATACOMBES*
(The Catacombs)

Les *INVALIDES*

Le Marché *D'ALIGRE*
(Aligre Market)

Le *MOULIN-ROUGE*

Le Musée *D'ORSAY* (museum)

NOTRE-DAME

Le palais *GARNIER*
(opera house)

Le Palais de *TOKYO*

Le *PALAIS-ROYAL*
(former royal palace)

Le *PANTHÉON* (mausoleum)

La place des *VOSGES* (square)

La place *VENDÔME* (square)

Le pont d'*IÉNA* (bridge)

Le pont de *SULLY* (bridge)

Le *SACRÉ-CŒUR* (basilica)

SAINT-DENIS
(suburb with medieval
basilica)

La *SEINE* (river)

Le *LOUVRE*

VERSAILLES

Artistes français: French Artists

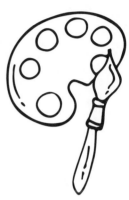

```
O R R A S S I P R E H C U O B
V U I L L A R D N I A R R O L
B D B Z Y P Û N I Ô F F Z É Ù
O U S O V F A Œ U L È S G C F
U B X Ë U Z U E G B O E L O E
G U I Ë É D S D U Ù R D P U F
U F O C O S I S A G E D M R È
E F R R I B B N G L B N A B N
R E C T I E E O A C I G H E I
E T A Ô O O U N A O Ê C T S
A M L O Ë S N Q R N D T U I S
U A E W H A I E A Ï A I D B U
Â N D Y Y Î D R R R E R V Î O
Œ E Ï H Œ H D K O À B É D A P
H T B A Z I L L E M O N E T D
```

Jean Frédéric *BAZILLE*

Pierre *BONNARD*

François *BOUCHER*

Eugène *BOUDIN*

William *BOUGUEREAU*

Georges *BRAQUE*

Paul *CÉZANNE*

Gustave *COURBET*

Jacques-Louis *DAVID*

Edgar *DEGAS*

Eugène *DELACROIX*

Robert *DELAUNAY*

André *DERAIN*

Jean *DUBUFFET*

Marcel *DUCHAMP*

Raoul *DUFY*

Jean-Honoré *FRAGONARD*

Paul *GAUGUIN*

Fernand *LÉGER*

Claude *LORRAIN*

Édouard *MANET*

Henri *MATISSE*

Claude *MONET*

Berthe *MORISOT*

Camille *PISSARRO*

Nicolas *POUSSIN*

Pierre-Auguste *RENOIR*

Jean-Édouard *VUILLARD*

SOLUTIONS

1

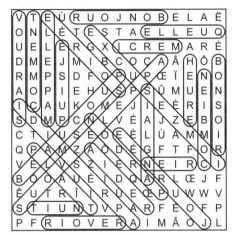

2

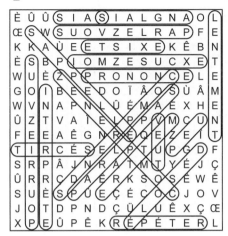

3

```
U U A T R Û V G Ù E K E Ê S O
P E Ô Î P I U Q U Z É B Z O N
A Z Û P N E É N À I Â X U N À
E R U G E K S Z Ê E X A D Ç O
P O T Q E S I X É S T I S A R
T T S À D L É E Î R T U N Q A
E A X Ü Ë C L K E R O P O U I
Z U P U Z O Î E X M R I A Z
N Q H R E E V N M Û W E L R E
I K L N T D T À Q G T M L A Y
U I T D X E E U È I È I I N E
Q G B J U I E Â U D Ï E M T U
F U E N M È D H H I Ô R N E Ê
À Z E G H T R O I S E Z U O D
Y E Z I E R T A R O R Z E O Ô
```

4

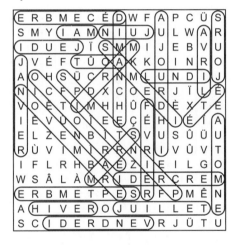

5

```
C O E C N E M M O C A D À Y P
L Ï Ç B S D N I N I T A M A I
V I N G T I R M I N U T E J Œ
Ç A T C F U O A S E C O N D E
T R A U Q C A R T Ü Z R P Ë S
O J A Y O S I P T E X F T E T
K B R A È T N E R A R È Ô L M
E I M E D F Œ I M È R Œ T L I
R Ç Î X V H I C O X S J N E D
E V V Ô È E E N I M F M E U
H T I U N O L A I U S D I Q Ô
C É R S E Ü Î N D T I S B D Q
U E Q È O Y U E R X I B J Y I
O C Î O U Î F N A V A N C E Ç
C B G R T E R Z E K D N É Z Ë
```

6

SOLUTIONS

7

```
P E D N I O S E B R I O V A D
C R I O V A S Ü P E C R B P R
X E R P D M G A U L O S O P A
R U U I À Ù R I Ë R A P E N I
E Q B L N T H R È A P E R L R
C I I T I E E G D P R S E E R
N R P R U N V E I P E I S R A
E B D C N D M E R R N L S C T
M A R O R A O E D E D I I E O T
M F D E N Z G R E T R T N U E
O V L D T N E R M S E U T R X
C L E S A E I T S I A A I D
A R I M U A H U R X R D R R
C E A D F E I C E E A T U C E
Ï R E L L I A V A R T F W S O
```

8

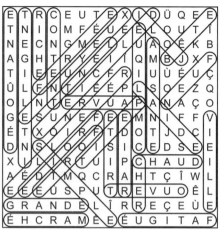

```
E T R C E U T E X I D Ü Q E E
T N I O M F É U E Ë L O U T I
N E C H T R Y E I I Q M B J X F
A T I E E U N C F R I U Ü É U Ç
Û L F N T I E É P L S O E Z Q
O L N T E R V U A P A N A Ç O
G E S U N E F E E M N I F F V
É T X O I R F T D O T J D C I
D N S L O O I S I C E D S E E
X I L I R T U I P C H A U D I
A É D T M Q C R A H T Ç Î W L
E E E U S P U T R E V U O Ê L
G R A N D E L Î R R E Ç E Ù E
É H C R A M E E E É U G I T A F
```

9

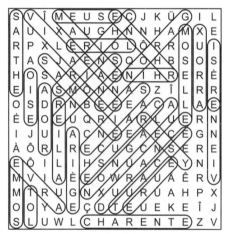

```
S V Î M E U S E C J K Ü G I L
A U I X A U G H N N H A M X E
R P X L E R I O L Ö R R O U I
T A S J A E N S Q Q H B S O S
H O S A R I A E N I H R E R È
E O I A S M O N N A S Z Î L R R
O S D R N B E E E A C A L A E
É É O E U Q R I A R L U E R N
I J U I A C N E E A E C E G N
À Ô R L R E C U G C N S E R E
E Ô I L I H S N U A C E Y N I
M V I A È E O W R A U A Ê R V
M T R U G N X U U R U A H P X
O O Y A E Ç D T E U E K E Î J
S L U W L C H A R E N T E Z V
```

10

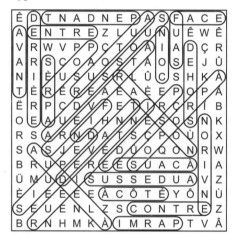

```
Ê D T N A D N E P A S F A C E
A E N T R E Z L U U N U Ê W Ê
V R W V P P C T O A I A D Ç R
A R I S C O A O S T A O S E J Û
N I È U S U S R L Û C S H K Å
T È R E R E A E A È E P O P A
Ë O E A U E I H N N E S O S Î B
O R S A R N D A T S C P O Û N K
R S A S J E V E D Û O Q O N X W
B R U P E R E E S U A C À I A
Ü M U D I S U S S E D U A V Z
È I E E E À C Ô T É Y Ô N Ù
S É U E N L Z S C O N T R E Z
B R N H M K À I M R A P T V Â
```

11

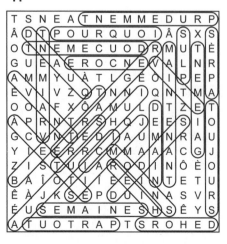

```
T S N E A T N E M M E D U R P
Â D T P O U R Q U O I Â S X S
O T N E M E C U O D R M U T È
G U E A E R O C N E V A L N R
A M M Y U À T L G É O I P E P
È V I V Z Q T N N I Q N T M A
O O A F X Ô A M U L D T Z E T
Â P R N T R S H Q J E E S I O U
G C V N T E D I A U M N R A U
Y I E E R R C M M A A A C G J
Z I S T U I A R O D I N Ô Ê O U
B A Î O T I I E E N T E T U R
Ê À J K S E P D U I N A S V R
É U S E M A I N E S H S Ê Y S
A T U O T R A P T S R O H E D
```

12

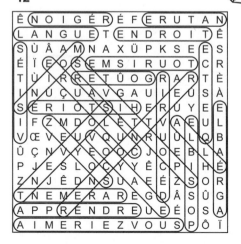

```
Ê N O I G É R E F E R U T A N
L A N G U E T E N D R O I T Ê
S Ù Â A M N A X Ü P K S E E S
É Ï E O S E M S I R U O T C R
T Ù I R R E T Û O G R A R T È
I N U Ç U A V G A U I E U S À
S É R I O T S I H E R U Y E E
I F Z M D O L È T T V A E U L B
V Œ V E U V Q U N R U Ü L Q A
Û Ç N V Y E Q O C J O E F B R
P J E S L O C Y Y Ê C P I H G
Z N J Ê D N S U A E É Z S O A
T N E M E R A R E G D Â S Û G
A P P R E N D R E U E É O S A
A I M E R I E Z V O U S P Ô Ï
```

SOLUTIONS

13

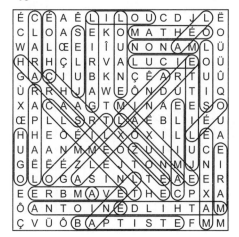

```
É C Ê A Ê L I L O U C D J L Ë
C L O A S E K O M A T H É O O
W A L Œ E I Î U N O N A M L Ü
H R H Ç L R V A L U C I E O Ü
G A C I U B K N Ç Ê A R T U Û
Ù R R H J A W E Ô N D U T I Q
X A C A A G T M I N A E E S O
Œ P L L S R T L A E B L I É U
H H E Ô É Î O X I L L É A
U A A N M M É Ô Z U I I U C É
G Ë Ë É Z L E J T O N M J N I R A
O L O G A S I N I T É A E E R A
E E R B M A V É T H E C P X A
Ô A N T O I N E D L I H T A M
Ç V Ü Ô B A P T I S T E F M M
```

14

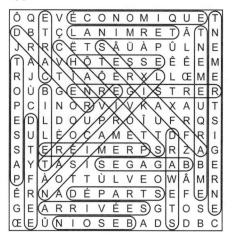

```
Ô Q E V É C O N O M I Q U E T
D B T Ç L A N I M R E T Â T N
J R R C Ë T S Â Ü À P Û L N E
T A A V H Ô T E S S E Ê Ê E M
R J C T I A Ô Ê R X L L Œ M E
Ô Ù B G E N R E G I S T R E R
P C I N O R V V K A X A U T
E D L D O U P R O Î Û F R Q S
S U L È O C A M È T T D F R I
S T E R É I M E R P S R Ž A G
A Y T A S Í S E G A G A B B E
P F À O T T Ù L V E O W Â M R
Ê R N A D É P A R T S E F E N
G E A R R I V É E S G T O S E
Œ E Û N I O S E B A D S D B C
```

15

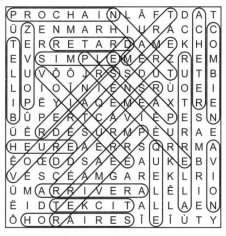

```
P R O C H A I N L Â F T D A T
Ü Z E N M A R H I U R A C C C
T E R R E T A R D A M E K H O
E V S I M P L E M E R Z R E M
L U V Ô Ô J R S S D U T U T B
L O Î O Î N Î E N S R Ù O E I
I Ë Y I A Q É M É A X T R E S
B Û P E R T C A V I E P E S A
Ü Ê R D É S U R M P È U R A E
H E U R E A E R R S Q R R M A V
Ê O Œ D D S A É E A U K E B V I
V E S C É A M G A R E K L R I O
Ü M A R R I V E R A L Ê L I O
Ë I D T E K C I T A L L A E N
Ô H O R A I R E S Î Ê Î Û T Y
```

16

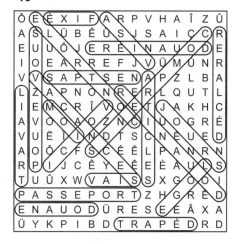

```
Ô Ê É X I F A R P V H A Î Z Û
A S L Ü B Ê Ù S J S A I C C R
E U Ù Ô J E R É I N A U O D E
I O E A R R E F J V Ü M Ú N R
V V S A P T S E N A P Z L B A
L Ž A P N Ô N R E R L Q U T L
I E M C R Î V O E T J A K H C
A V O O A O Z N O I U O G R É
V U Ë Î I N D T S C N E U E D
A R O Ô C F S C Ê Ê L P A N R N
R P I J C Ê Y E Ê È À U S
T U Û X W V A I S S X G O O I
P A S S E P O R T Z H G R È D
E N A U O D Ü R E S E E Â X A
Ü Y K P I B D T R A P É D R D
```

17

```
P R Œ Ù Z P J Q Ê E X J Ž G À
P L E Ï I É F A C E H B E P Y
A R A I S T Â H V U H C V E U
R D E N A Ô Q D S R À S U I Ë
L A O N I C X E E C A È O A Q
À B L U D O N E C V E R P É G
È R P L E R L À O E A P Ê X N
Â Ï A È E S E È È R I N T C E
V A X N G R A C J E D Z T U S
B Î Ù U O W À E Z O E È È S T
I P Î W X R T P X R R Œ N E P A
N C O Ë O I Ê I D I F T Z A
I T Y T O D E V Z E B À Y M S
O K U R S W O Q N B D T U O T
C S D É R R I È R E È Î Ù I S
```

18

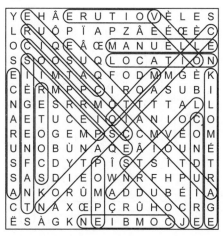

```
Y E H Â E R U T I O V È L E S
L R Û Ô P Ï A P Z Â É É Ê C
O C I Q E Â Œ M A N U E L L E
S S O O S U Q L O C A T I O N
E I I M T A Q F O D M M G È K
C È R M P P C I R O A S U B I
N G E S R R M O T T T T A L L
A E T U C É I O I A N I O Ç O
R E O G E M P S C C M V É O M
U N O B Ù N A Q E Â I O U N É
S F C D Y T P Î S T S Î T D T
A S D I E O W N R F H P U R
A N K O R Û M A D D U B É Î A
C T N A X Œ P Ç R Û H O C R G
Ë S À G K N E I B M O C J E E
```

SOLUTIONS

19

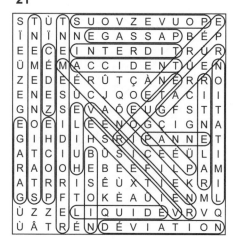

20

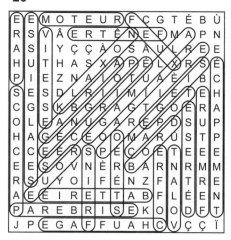

21

22

23

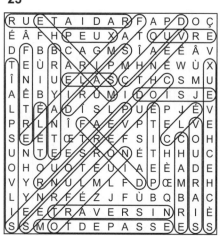

24

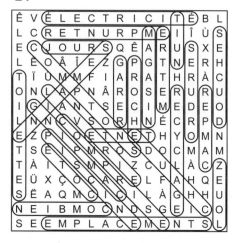

SOLUTIONS

25

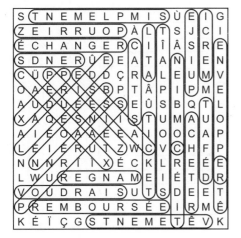

```
S T N E M E L P M I S Ù É I G
Z E I R R U O P À L T S J C I
É C H A N G E R C I Î Â S R E
S D N E R Ù E E A T A N I E N
C Ü P P E D Ç R A L E U M V E
O A E R I S B P T Â P I P M E
A U D U E E S S E Û S B Q T L
X A Q E S N I I S T U M A U O
A I E O A A È A I O O C A P P
L E I E R U T Z W C V C H F P
N N N R Î Î X É C K L R E É É
L W U R E G N A M E I É T D R
V O U D R A I S U T S D E E T
P R E M B O U R S É E I R M Ê
K É Ï Ç G S T N E M E T Ê V K
```

26

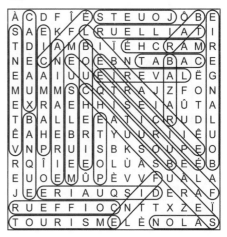

```
À C D F Î Ê S T E U O J Ô B E
S A E K F L R U E L L I A T I
T N D I A M B I Ï É H C R A M R
N E A C N E Q È B N T A B A C E
E A A I U U E I R E V A L Ë G
M U M M S C O T R A J Z F O N
E X R A E H H I S E I A Û T A
T B A L L E E A T I C R U D L
Ê A H E B R T Y U U R I Ï É U
V N P R U I S B K S O U P E O
R Q Î I E E O L Ù A S B É É B
E U O E M Û P È V V F U À L A
J E E R I A U Q S I D E R A F
R U E F F I O O C N T T X Z É Ï
T O U R I S M E L È N O L A S
```

27

```
T E C N I P E N U E M Ï P Z B
P N I Z S I N R E V A V E B É
O S E T O U R N E V I S R V U
U I F M Ë R Ù E Ù E L À C O Q
V A Z Î E A M H Ë R L F È I L
E T J T È T È C J R E A U Y E
Z E R T À Ù C R U E T U S D U
Ù L R M U L H A U O Ô T E R Q
Î A Y E O S E M X K N M C E Ç
M L J U I L Ü O Z È V É T R Ù
Ô Ü S É G P U O M M I Ü S A U
N K T N Ù T A M Œ I N Ô E P Ç
W Ù D Ï I Œ O P C L É S U É É
E G A L O C I R B C I U Q R Ë
Z Â S M O Q U A E C N I P U L
```

28

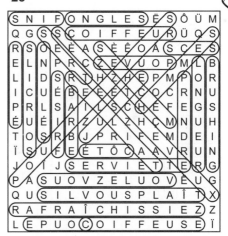

```
S N I F O N G L E S Ë S Ô Ü M
Q G S S C O I F F E U R Ü Q S
R S O Ë A S È Ê O A S C E S
E L N P R C Z E V U O P M L B
L I D S R T H Z H E P M P O R
I C U É B E Ê E T C O C R E U
P R L S A I L S C H É F E G S
É U É I R Z U L Z H C M N U H
T O S R B J P R I F E M D E I
Ï S U F E É T Ô C A A V R U N
J O I J S E R V I E T T E R G
P A S U O V Z E L U O V Ê U G
Q U S I L V O U S P L A Î T X
R A F R A Î C H I S S I E Z Z
L E P U O C O I F F E U S E Ï
```

29

```
C À S E T T E S S U A H C T Ù
C A S T É À N V T Ç G G I L E T
P I E L L I U E F E T R O P E
U M S C K A A B S E S T N A G
C P C O H M È B E T U Î C N M
H E H J U P O S É È É H É T Ê
E R A U È T H S E L A D N A S
M M U P T I O C P S V Ê L H
I É S È R È S È È O R P I O O
S A S T É J E À N P S N O N R
E B U Q Î N U X I G U T C R T
O L R O B E L Â H C O L U M T
É E E D É C H A R P E R L M U
X R S V Ê T E M E N T S G L E
M A N T E A U E R U T N I E C
```

30

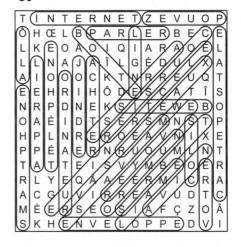

```
T I N T E R N E T Z E V U O P
Ô H Œ L B P A R L E R B E C E
L K É O À O I Q I A R A Ô É L
L N A J A Î L G È D U L X A
A I O O C K T N R R E U Q T
É E H R I H Ô D E S C A T Î S
N O A É I D T S E R S M N O
O H P L N R E R O E A V N I P
P P É A E R N R R U O M L X E
T A T T E I S V Y M B É O F T
R L Y E Q A A E E R M I C R R
A C G U V I R R E A V U D T A
M È R S E O S I A F Ç Z O Â C
S K H E N V E L O P P E D V I
```

SOLUTIONS

31

```
U T N O M Y E V S E R U G I L
O I P M O N G E S N I C E J Y
C J C T A I L L E F E R É S Â
O H H M D C O T T I E N N E S
J Û A A O O E H C N A L B V P
N C M R L Û Ë I J Ï T Z C R E
Ê N E G A D M Î K Ê U X A A L
G A C U C E S Ü É C C K S A Y
A L H A R O I G N A I S S S A
L B A R A V E N T O U X E T B
I T U E D A U P H I N É N W C
B N D I C R Ï É É C R É P G I
I O E S A V O I E G R Œ A Œ P
E M E R G È N E R R U O M Ü V
R É N I È H A U T S F O R T S
```

32

```
G L D I S T R I B U T E U R C
E S L Î P L I Q U I D E E A Œ
R I S I A R D U O V V S G R S
I G E C O N F I D E N T I E L
A U E O B P U Ü C A E G E R Ë
F I T U L D W Ë H S N E I V X
E C P B È È I C E E R N D U O
R H M L M P T Ü Z R U P E O P
M E O I E Ê H R Y U Z P N M R
E T C É A Û Î Ù O P Œ Ç T O N
S U O V Z E I R R U O P I N C
É M A P P E L L E O V Ù T C H
Ë L T B A N Q U E C B E É A E
É S A R G E N T N E M E R I V
B U R E A U D E C H A N G E D
```

33

```
N O I T I S O P X E E R I O F
E P C O N F É R E N C E O H S
A X A Ê M O Y R É J R I Ï T S
D G Y S É J I É M M S Â A B U
R O N A S O U N E É U G V E O
E À R C V E Î E U M E N Î W V
S F X A U G Ü L Û E A J T E Z
S Û M R H Ù E W S Œ R I É T E
E È Ê E Y T E M P S V C L I D
S E U G È L L O C K È I É S N
Y U O N Î R Â S Û Ô Â O P I E
E R I A N I M É S X Î V H O R
G Ü Z M Ê N Ô A V E Z V O U S
Ê Ç Î Ô I L Ù É R C A S N O C
C A R T E D E V I S I T E È È
```

34

```
E D I N F I R M I E R Ê Ç C S
S Â Ë E R U E I N É G N I D S
U Û É È U È N M X E W Ô Ê Ë K
E E Â J E V I S M M V Ü N L J
D Ü X T R A A É È W R N E C U
N G P C L E V V E F D U E C I
E S R D U I I O T B S E I T S
V O O Ï C U R C Q Â E V C R N
P L F B I Q C A L T R R I N I
E D U R N É T I I V E S C N
I A S R G A S E P M E S U I
N T S E A B L Û À E U N M E È
T Î E A S Â Û T A N S A T N R
R I U U R É D A C T E U R Z E
E É R C O M P T A B L E Q H Ê
```

35

```
Ê N O I N U É R Y I J E L Î S
F E U C R E I P A P T P Û Ù U
A P A Â Û Ê Ê R E N Q Ù T R R
C S E R A I R C A L C U L U L
E C R É C E V M C X E N Ë E I
S C U U V S I E A P Ê O A T G
U F B N E R L U R Î M Y A N N
E L E U P S A M N U P A O N E
F P I M T C S Ô E J L R C I U
A T I A C E E A T A O C C D R
R D S U M S T Y L O Y I U R K
G R E N U E J É D C É B P O Ê
A I J Û T É L É P H O N E C H
L E C I R T C E R I D X R C D
Î Ü E T Î O B T R O M B O N E
```

36

```
A F R B E N O H P T R A M S Û
E I A M G G C I H J O I N T E
X S N O P T E E T P M O C T R
E O L T O A C C U E I L N É I
T B A V E N R U L I A M E L R
R C P F O R A T R A È V E É C
E O P I M R N S A S V H L C S
I N L C É N D E O G E I S H N
S E C I H M O E I T U E U E A
S O C A T I O M M S N H R R R
O D T R R Q U E T A T E S E S
B E I H E Â L R C E P E U R I
P R O G R A M M E T U E U D A
C P N P O R T A B L E R A R L
```

SOLUTIONS

37

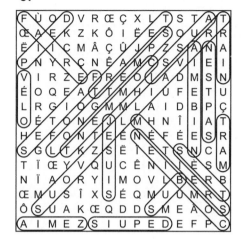

38

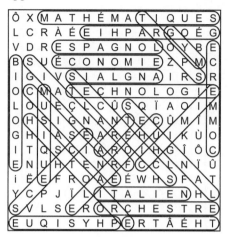

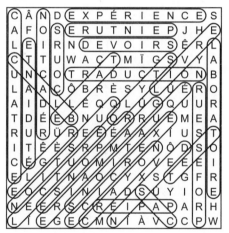

39

40

41

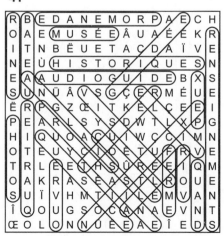

42

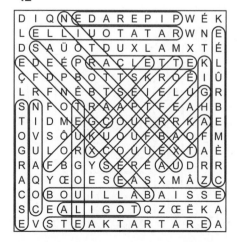

SOLUTIONS

43

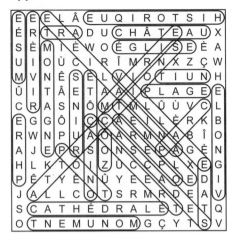

44

45

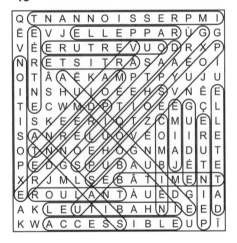

46

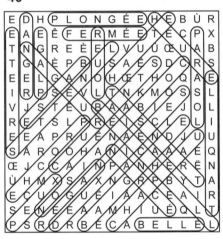

47

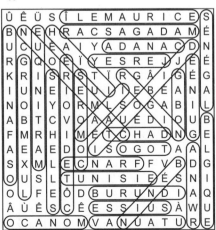

48

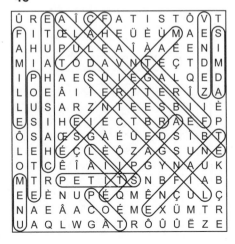

SOLUTIONS

49

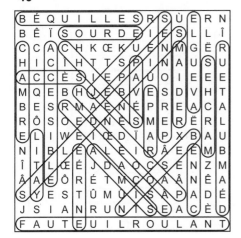

```
B É Q U I L L E S R S Ü E R N
B Ê Ï S O U R D E I E S L L Î
C C A C H K Œ K U E N M G Ë R
H I C I H T T S P I N A U S U
A C C È S I E P A U O I E E E
M Q E B H U E B V E S D V H T
B E S R M A E N É P R E A C A
R Ô S O E D N E S M E R Ë R L
E L I W E Ï E D I A P X B A U
N I B L É A L E I R Â E E M B
Î T L E J D A O C S E N Z M A
Â A E Ô R É T M C O Â N Ê A Ê
S Y E S T Û M Ü I S A P A D É
J S I A N R U N S E A C È D
F A U T E U I L R O U L A N T
```

50

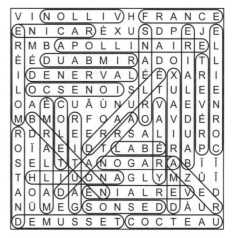

```
V I N O L L I V H F R A N C E
E N I C A R È X U S D P E J É
R M B A P O L L I N A I R E L
È É D U A B M I R A D O I T L
I D E N E R V A L É É X A R I
L O C S E N O I S L T U L E E
O A É C U Â Û N U R V A E V N
M B M O R F O A A O A V D É R
R D R L E E R R S A L I U R O
O Ï A E I D T L A B Ë R A P C
S E L Î T A N O G A R A B Ï Î
T H L I U O N A G L Y M Z Û Î
A O A D A E N I A L R E V E D
N Ü M E G S O N S E D D À U R
D E M U S S E T C O C T E A U
```

51

```
E Z E S Î Û G S Û U M R D A R
T S E K E Ë J I E S N O U E A
P N E T I L I O S D E J I O B
M E E H I E L E U I U T U T P
O Ê È I T B C É O R É T I N J
C P Ô V B N A S V M S H É A T
S E T Ê A M U H Z U W E S S F
A Y R C B P O R E G O I G S A
F D A P E S O C L U A N S E Z
C V V R V U Ô H L U Ë P Y R E N
V R A I M E N T A X M Û Î É N
É Ç I E T I A R T E R Ë V T N
F É L I C I T A T I O N S N O
Y O L F O R M I D A B L E I D
A W E É T U D I A N T E Ü Œ D
```

52

```
A I S E R È P U A E B É Ë R E
D O U M O U Ç K L U C S F Y T
O M E Ü A B E L L E M È R E
P E R M V O I C I N C S I B E
T L È Ü F M É R Y F O E N S
É R P A E Y W W A N L C U É
E A D F Î R M V L N J L L S R
A P N U G U Q M I T O I V T P
L B A O D P A È E S I F A S S
Î Y R N N E V E U I N N R M N
I I G C E L À B C S T K Ê F I
P R R L B A S A C E L N Y R S
K C A E J U M E A U X I F È U
X S Ç M P À È I D Ô Z H F R O
G R A N D M È R E J Ï R W E C
```

53

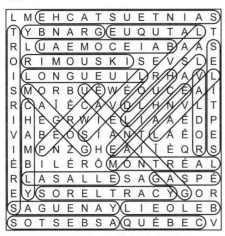

```
L M E H C A T S U E T N I A S
T Y B N A R G E U Q U T A L T
R L U A E M O C E I A B A A S
O R I M O U S K I S E V S L E
I L O N G U E U I L R H A V L
S M O R B U E W E O U C E A I
R C A Î Ê C A V O L H N V L T
I H È G R W I E L I A A É D P
V A B È O S Î A N T L A Ê O E
I M P N Ž G H E A Î È Q R S
È B I L É R Ô M O N T R É A L
R L A S A L L E S A G A S P É
E Y S O R E L T R A C Y G O R
S A G U E N A Y L I E O L E B
S O T S E B S A Q U É B E C V
```

54

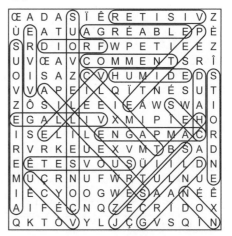

```
Œ A D A S Ï Ê R E T I S I V Z
Ù E A T U A G R É A B L E P È
S R D I O R F W P E T I E E Z
U V Œ A V C O M M E N T S R Î
O I S A Z C V H U M I D E D S
V V A P E I L Q Î T N É S U T
Z Ô S I N L E E I E A W S W A I
E G A L L I V X M I P Î E H O
I S E L Î L E N G A P M A C
R V R K E U E X V M T B S A D
E Ê T E S V O U S Ü I Î L D N
M U C R N U F W R T U L N U É
I È C Y O O G W E S A A N É Ê
A I F É C N Q Z É C R I D O X
Q K T Ô V Y L J Ç G V S Q I N
```

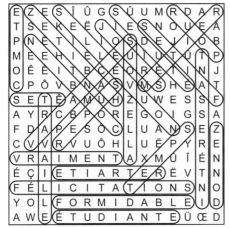
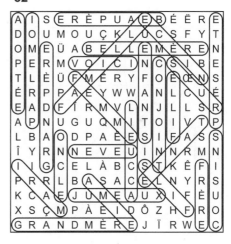

SOLUTIONS

55

```
M É T A T S U N I S B M À Ï E
E A R O Y A U M E U N I V E D
I I A U S T R A L I E D D E N
S V N A T S I K A P E N T E A
S U Ü A D A N A C E A D É L
U N È E I L A T I L R N É C É
R U R D P C E R N L I C G È Z
F E N Z E S A I A I S K È R E
I O N E S G F N O P A J V G L
D C H I L I D A N E M A R K L
J A U Ü H E T P Y G É D O Ü E
I S B È H C I R T U A E N O V
B E L G I Q U E Ë A Y N E K U
F R A N C E R O U M A N I E O
C A L O E I B M O L O C E Ç N
```

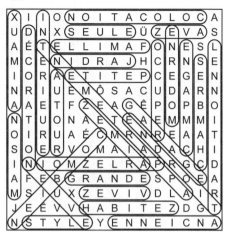

56

```
X I I O N O I T A C O L O C A
U D N X S E U L E Ü Z E V A S
A É T E L L I M A F O N E S L
M C E N I D R A J H C R N S E
I O R A E T I T E P C E G E N
N A R I U E M Ô S A C U D A R
A E T F Z E A G Ê P O P R B O
N T U O N A E T Ê A E M M M I
O I R U A É C M R N R E A T T
S O E R V O M A I A D A C H I
I N I O M Z E L R A P R G C D
A F B G R A N D E S P O E A
M S I J U X Z E V I V D L A I R
J E É V V H A B I T E Z D G T
N S T Y L E Y E N N E I C N A
```

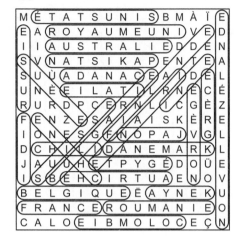

57

```
R M E U B L E D R A C A L P Ô
U C A N A P É T A G È R E S F
E À R E Â R L E O S K S R U M
T C V U É M O Q U E T T E T P
A E H M E N S E T T E L I O T
R O L A I T I R O I R S R N D
I E O E I C A M Î Î D T E O D
P H V X V S R R E Z E A R L E
S C T A A I E O E H F Ê T A R
A U I A L M S T O G C Y Ê S B
D O A I B N I O N I R N G M
È D C À I L L R O E D R E Q A
L G U A Z H E S O N È E F Î H
H G B R E E N I S I U C S É C
O É C L A I R A G E R W Ê S R
```

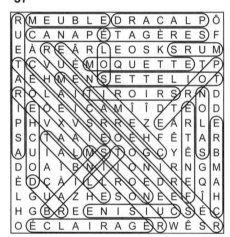

58

```
N O T O C O P R O D U I T S Ë G
I E N D Ü S E R E I P A P S È
A C S E T T È I V R E S Û H T
B I E S T N E D G G A N T H A
G R N E A S É P O N G E R M M
R F E O X D T E A Ü E E I P O
N I B M V F G M O U S S E O R
I T O I A O E À A H A P I O
E N E S M L S L R L A I T N D
B E C M A D B Ì C X À E G É O
O D O G O R J Î È A S P D R D
U G E U O W Î R I O N G I E P
C L C S E T T E L I O T B Ç I
H H S I T C B A I G N O I R E
E E S È C H E C H E V E U X È
```

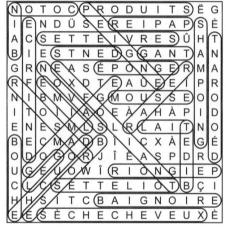

59

```
D M E T T R E T T E L I O T V
È O X S E F A E S É E O O Ô N
S I U N I E Ü S X G È S L P E
H B I C Ü R É V E I L L E R I
A D R W H M Ï Ç M R L K H I H
B X R O B E E L O C É A S Ü C
I U M N S R L S È Û K E S F R
L A A Z Ü S E J D L N É R I E
L M Q J C T É É Q D A S E P Y
E I U C N H J R O É R É V A O
R N I A H E F R L I A V A R T
J A L D U A M N B A I N L T T
H P L N U I T R E H C É S I E
Ü D E P R E N D R E S L L R N
R R R T N I A R T A R E V E L
```

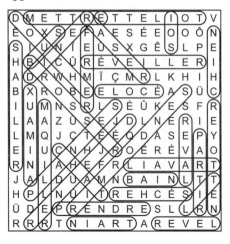

60

```
Ü A Û Q U E S T C E P Ï S K A
T M M Ù P P À P Œ I Û X Ô N
J N B N À È H K N N R Ì Ç G U
A X J D W U X S S E M M O S C
L S A U V T E T R O M P E Z U
L E U R S E N P J V O U S A
A B A S A T G E A E K Ê E Q D
I I M E S R E E M J S T S R S
S E A V O E N M E E I U Œ Ê
Œ N Ù W O O D N E D T C I M D
Ï S É T S I E A C C È S X
È Û Ô I E S L Y L A T M A Œ F
Ç R A D U T Q À D G E U S X T
K R V I H S R U O J U O T W E
A B S O L U M E N T Î À L V W
```

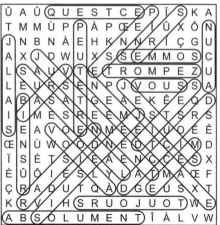

120

SOLUTIONS

61

```
Û É X B É N É V O L E N E N L
Z L I A S P N S É N E R G I E W
Ê E A P N É I E E S I A U S O A
T C T N D S G S Û R N T E J T I
I T I O U I I S A T L R O P I C
L I O I S D L M E U É U E A C O
A N T R E F E C W R E N C É S
N S I R N R E N R Â I I C E A
I C L A I T T A T E Ù C D N E R
R A S O E L L L S J U É E N E G
C Â M T O R I G I N É É H C E N
Â S I N O S I R P H I M D S E N
Î E S G O U V E R N E M E N T
```

62

```
Ç Ü H A U T D E F O R M E E V
E D M N F N R C A D E A U E C O
J I E X S I V À B J C G M R U S
Î S N M N G A R Ç O N Â A I D T
Û Ù I V O K M N F Ï A T R U U M
L E É T I S A C C I E I D N E
E C A N T T S S R A F A A N M E
I N A I O A E A E A Ï U G O E
M A I V I T H F Ï I E L E C T
E D L I V T P C U O V O O E E M
D E L T E I I I B G C N O G C S
N A É C L C Z S E Ë I E T A O
U S E É É F Ê T E N O C E S P
L N Ç R F E S U E I G I L E R
```

63

```
T Ê U S I A R E M I A J E L
N J A T J Â V L D J À Y Z I N
Î R E T S M A H F F R E S T N
R E S B Û M Œ A V O I R E E O
L P I U I U Ï N Z S A M R L S
A U O N Û Î E E I N P I P L I
P C A I C I I A Y S E G E P P
I C B N H R R W U C E E N P E
N O A C É E À Ç F N I O T P Â
C I C M M N A M R É G V M A Â
O H L I I D K E E Î H Î C S Z
È A A M L É Z A R D E P U I S
J N A T Q J C O M P A G N I E
O U É N Â Â Î T N O R M A L W
X C O C H O N D I N D E Œ I Ô
```

64

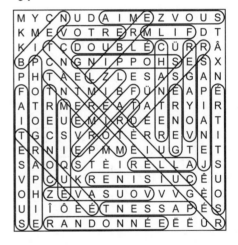

```
M Y C N U D A I M E Z V O U S
K M E V O T R E R M L I F D T
K I T C D O U B L É C Û R R Â
B P C N G N I P P O H S E S X
P H T A E L Z L E S A S G A N
F O T N T M I B F Ü N E A P E
I O E U E M I R O E E N O A T
T G C S V R O T E R R E V N I
È R N I E P M M Ë U G T E T
S A O Q S T È I R E L L A J S
V P C U K R E N I S I U C Ê U
O H I Z E V A S U O V V G È O
U I Î Ô É É T N E S S A P É S
S E R A N D O N N É E Ë Ë U R
```

65

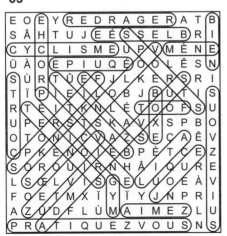

```
E O E Y R E D R A G E R A T B
S Â H T U J E É S S E L B R I
C Y C L I S M E U P V M È N E
Ü À O E P I U Q É C O L Ê S N
S Ù R T Û E F J L K E R S R I
T Ï P I E I L O B J B U T I S
R U T È I T K N L É T O O F S U
U P E R S T S K A V X S P B O
C P K E N O I E B P È T C E Z
S O R O U I R N H Â I Q U R E
L S E L V I S G E L U O E À V
F O E T M X Ï Y Ï Y J N P R I
A Z Û D F L Ù M A I M E Z L U
P R A T I Q U E Z V O U S N S
```

66

```
U C R A D E N N A E J H D G O
L B E T T E N C O U R T E Y S
O Ù É R E T R A P A N O B Q E
U C E Î B A R L E F F I E U T
B N D X Ù U T O I Ç D K A W R
O S E I R T É S D T Ï E U P A
U A G O E O C R O I C Y V S C
T M A R K U L D I R N F O O S
I U U C A Z R E A A P V I R E
N D L A B A O M N S T I R R D
Î Q L L B E P I N A U L T A O
Ê V E E C N A L B A H M O G U
E N A D I Z Y R N E H C A V U
I N O S T R A D A M U S O C H
V U I T T O N C O U S T E A U
```

SOLUTIONS

67

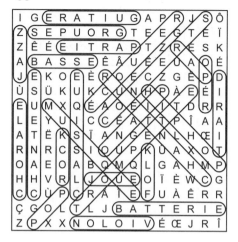

```
R Â I O W S K Î T À Ï Ë R T L
E É N N O D N A R R W O N S O
T Ô W Â È I S O H C U A W F N
E H E M À Ô A L È I B S O A É
H C A G R D Ü P Y U N S A C C Q U E
C A L A P I Z P Ô D È T I L A Q E
É L Y A F A O R R J L I V I O U
N I S I À T E P S Z T D R R É
Q V A C N E È N V S R À I S P
U À G I U R Î O Ï T A B B U È
E Ô Ê L L I U Î A T O P S W G
L A S E Î S R R D È I K V Ô Ù
L Ë Ê C A M P I N G D A K C H
E C H E M I N M È N E Î E U H
```

68

```
I G E R A T I U G A P R J S Ô
Z S E P U O R G T E E G T È Ï
Z Ê É É E I T R A P T Z R E S K
A J E K O È R O E C Z G È P D
Ü S Ü K U K C U N H P À È É I
E U M X Q É A O E Ï I T D R R
L E Y U I C C É A T T P Î A A
T Ë K S Ï A N G È N L H Œ I
R N R C S I O U P K Ü A X O T
O A E O A B Q M Q L G A H M P
H H V R L J O U È O Ï È W C G
C C Ü P C R A Ï E F U À Ê R R
Ç G O L T L J B A T T E R I E
Z P X X N O L O I V É Œ J R Î
```

69

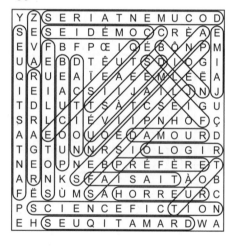

```
Y Z S E R I A T N E M U C O D
S E V A S E I D É M O C C R È A E
E U F B F P Œ I Q È B Ô N P M
Q R U E A T Ê U T S D I O J U
I D L U T A C S I I J A I L N J
T R A I L C I É V I I P N H Ô F Ç
S R L A C S I I É V I I P N H Ô F Ç
A G E O O U O È D A M O U R D
T N E O N N R S I O L O G I R
N A R N K P R É F È R E T
A F Ë S Ù M S A H O R R E U R C
P S C I E N C E F I C T I O N
E H S E U Q I T A M A R D W A
```

70

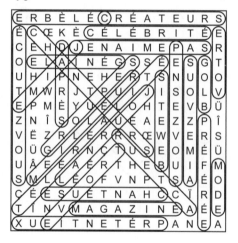

```
E R B È L É C R É A T E U R S
É C Œ K È C É L É B R I T É E
C E H D J E N A I M E P A S R
O E L A I N É G S S È G T O
U H I P N E H E R T S N U O L
T M W R J T P U I J I S O L B
E P M È Y U È O H T E V Z Ü
Z N Î S O L A Ü E A E Z Z P Î
V Ë Z R L E R R R Œ W V E M É U
O Ü G I R N C T U S E O M I F M
U Â Ê E A E R T H E B U I O D
S M L L É O F V N P T S A É E
C É É S U È T N A H C C Ï R D
T I N V M A G A Z I N E A É E
X U E Î T N E T É R P A N E A
```

71

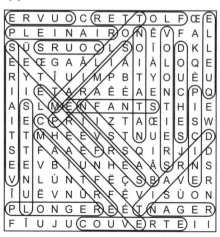

```
E R V U O C R E T T O L F Œ E
P L E I N A I R O N Ê V F A L
S Ü S R U O C L S O Ï O D K L E
E E G A Â L I À I À L O Q E U
R Y T Î U I M P B T Y O U È U
I I È T A R A Ê É A E N C P Q
A I S L M É N F A N T S T H I E
T E C P R I I Z T A Œ I E S W
S E T M H È E V S T N U E S C D
E V N B Î U N H È A Â S R N S
V N L Ù N T F È Ç S B A V E R
Î U Ë V N Ü R F É V I S Ù O N
P L O N G E R E É T N A G E R
F Î U J U C O U V E R T E I I
```

72

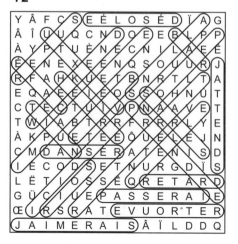

```
Y Â F C S E É L O S É D Ï A G
Â Î U U Q C N D O E E B L P P
À Y P T U È N E C N I L A E E
É E N E X E E N Q S O U U R J
R F A H K U E T B N R T L T A
E Q A E É E O S S O H N Ü T
C T E C T U I V P N A A V E T
T W I A B T R R F R R P L Y E
À K P U E Ï E É Ô U È L E J N
C M D A N S E R A T E N I S
I É C O D S E T N U R G D Ï S
L Ë T I O S S É Q R E T A R D
G Ü C I U E P A S S E R A I E
Œ I R S R A T E V U O R T E R
J A I M E R A I S Â Ï L D D Q
```

SOLUTIONS

73

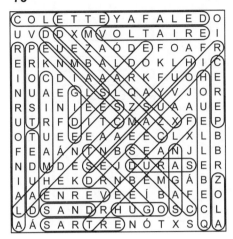

```
C O L E T T E Y A F A L E D O
U V D D X M V O L T A I R E I
R P E U E Z A O D E F O A F R
E R K N M B A L D O K L H I C
I O C D I A A A R K F U O H E
N U A E G L S L Q A Y V J O R
R S I N I E E S Z S U A A U E
U T I R F D I T C M A Z X F P
O T U E E E A A E C L X L E B
F E A A N T N B S E A N J L B
N D M D E S E J D U R A S E R
I U H E K D R N B E M G A B Z
A A E N R E V E E I B A F E O
L D S A N D R H U G O S C L A
A A S A R T R E N O T X S Q A
```

74

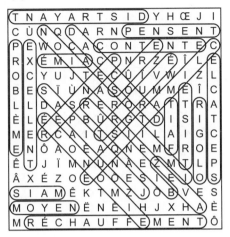

```
T N A Y A R T S I D Y H Œ J I
C Ù N Q D A R N P E N S E N T
P E W O C A C O N T E N T E C
R X E M I A C P N R Z Ê Î L E
O C Y U J T E C Û I V W I Z L
B L S Ï Ù N A S O U M M E Î C
L E D A S R E R O R A T R I A
È N E E P B Ù R G T D I G C T
M E R C A I T S I L A I C E C
E N Ô A O Ê A O N E M F R O E
Ê T J Ï M N U N A E Z M T L P
Â X É Z O Ê O O E S Î E I O S
S I A M Ê K T M Z J O B V E S
M O Y E N Ë N Ê I H J X H A È
M R É C H A U F F E M E N T Ô
```

75

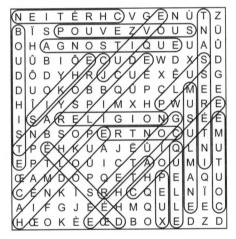

```
N E I T É R H C V G E N Ù T Z
B Ï S P O U V E Z V O U S N A
O H A G N O S T I Q U E U A Û
U Û B I Ô E C U D E W D X S D
D Ô D Y H R J C U É X Ê U G E
D U O K O B B Q U P C L M E E
H Î I Y S P I M X H P W U R E
I S A R E L I G I O N G S É É
S N B S O P E R T N O C U T M
T P É H K U A J Ë Û Î Q L N I
E P T L O U I C T A O U M I T
Œ A M D O P O E T H P E A Q U
C É N K I S R B H C Q E L N Ï O
A I F G J E Ê H M Q U L E E C
H Œ O K È E E D B O X E D Z D
```

76

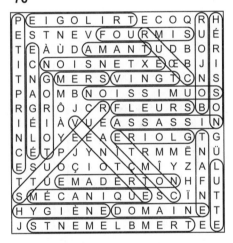

```
P E I G O L I R T E C O Q R H
E S T N E V F O U R M I S U É
T E À Ù D A M A N T U D B O R
I C N O I S N E T X E Œ B J I
T N G M E R S V I N G T C N S
P A O M B N O I S S I M U O S
R G R Ô J C R F L E U R S B O
I É I À V U E A S S A S S I N
N L O Y É É A E R I O L G T T
C É T P J Y N Ï T R M M Ë N Ü
E S U O Ç I O T C M Î Y Z A L
T T U E M A D E R T O N H F U
S M É C A N I Q U E S C Ï N T
H Y G I È N E D O M A I N E T
J S T N E M E L B M E R T E E
```

77

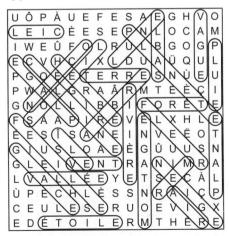

```
U Ô P À U E F E S A E G H V O
L E I C È E S E P N L O C A M
I W E Û F O L R U L B G O G P
E C V H C I X L D U A Ü Q U L
P G O E E T E R R E S N Ù E U
P W A L G R A Â R M T E È C I
G N O L L I B B I F O R Ê T E
F S A A P I R E V Ë L X H L É
È E S Î S A N E I N V E Ë O T
G I U S L O A E È G Û U U S N
G L È I V E N T R A N I M R A
L V A L L É E Y E T S E C À L
Ù P E C H L È S S N R A I C P
C E U L E S E R U O E V I G X
E D É T O I L E R M T H È R E
```

78

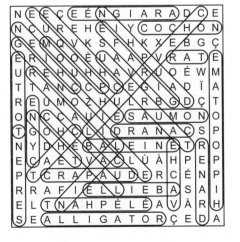

```
N E É C E É N G I A R A D C E
N C U R E H E I Y C O C H O N
G E M Q V K S F H K X E B G Ç
É R I O O È U A A P V R A T É
U R E H U H H A V R U O É W M
T T A N C C P O E G I A D Ï A
R É U M O Z H U L R B G D Ç T
O N C C A U I E S A U M O N O
T G O H O L I D R A M A C S T
N Y D H É B A L E I N E T R O
E C A E T V A O L Ü À H P E P
P T C R A P A U D E R C É N A
R R A F I E L L I E B A S A R
E L T N A H P É L É A V À R H
S E A L L I G A T O R Ç E D A
```

SOLUTIONS

79

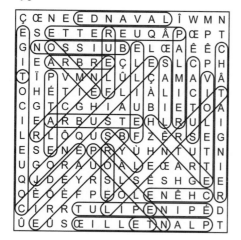

```
Ç Œ N E E D N A V A L Î W M N
Ê S E T T E R E U Q Â P Œ P T
G I N O S S I U B E L Œ A Ê Ê C
I T E A R B R E Ç L E S L C A P H
T O C P V M N L Û L Ç A M I C V Â
O C H É T I E F L I À L I C I T
C I G T C G H I A U B I E T O A
I L I E A R B U S T E H L R U I
L E R L Ô Q U S B F Z È R S E G
E S E N E P R Y Ü H N T U T N I
U G O R A U O A L E Œ A R T N I
Q I D E Y R S I S É S H G E E R
O Ê Ô Ê F P E O L E N Ê H C R
C R R T U L I P E N I P É D
Û E U S Œ I L L E T N A L P T
```

80

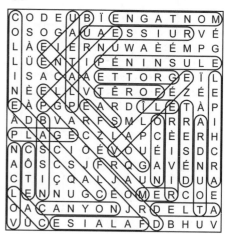

```
C O D E U B Ï E N G A T N O M
O S O G A U A E S S I U R V É
L À È I E R N U W A È É M P G
L L Ü E N T I P É N I N S U L E
I N È E L L V T Ê R O F É Z É E
É A X P G P E A R D Î L E T À P
À D B V A R F S M L O R R A I H
P L A G E C Ž L A P C È E R R C
N C S C I O È V O U É I S D H R
A Ô S C S J F R Q G A V É N A
C T I Ç Q A L J A U N I D U A
L E N N U G C E O M E R C O E
O A C A N Y O N J R D E L T A
V U C E S I A L A F D B H U V
```

81

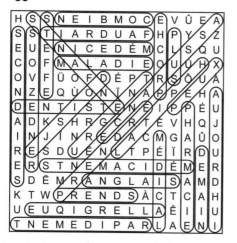

```
U D R E P S R E I P M O P M É
É Ç Q U A M B U L A N C E U O
R U I N C E N D I E M O D E T N
U A G P Î L Â O È Â A T R C N E
T Û U U O V O P H S A U O E C
I L T S C L A V S T N I G M A C
O Â R A E S I A E Q È R H Ë I A
U C O J S C B C U Q C A S D T
R H E P É S M O I E Ü N S A P N
G E E Ê A U L U E W E S P I N O
E M S E R L É V R I G I P P E I
N O I S L E D U M B S R M E N T
T I P E T R O U S S E U M L Ç Û
I P E H Ô P I T A L O E Â Ù
L A I S S E Z M O I Ç C Z Z Ù
```

82

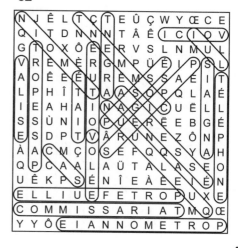

```
N J Ê L T C T E Û Ç W Y Œ C E
Q I T D N N T Â Ê I C I O V
G T O X Ô Ê E R V S L N M U L
V R E M È R G M P Û Ë I P S L
A O Ê È Ë U R È M S S A E I T
L P H Î T T A A S O P Q L A É
I E A H A I T N A G I C U Ë L P
S S Ù N T O P U E R Ë E B G H
E S D P T V Â R U N E Z Ô A O
À A C M Ç O S E F Q Q S Y A N
Q P C A A L A Ü T A L A S E
U Ê K P S É N Î E À Ê E I É
E L L I U E F E T R O P U X E
C O M M I S S A R I A T M Q Œ
Y Y Ô E I A N N O M E T R O P
```

83

```
H S Œ N E I B M O C E V Û E A
S S T I A R D U A F H P Y S Z
E U È N I C E D É M C L S Q U
C O F M A L A D I E O U U H X
O V Z E F Ü O F D É P T R S Ô U A
N E Z E Q Ù O N Ï N A P P E H A
D E N T I S T E N É I P P É U
A D K S H R G C R T E V H Q J
I N J Î N R E D A C M G A Û O
R E S D U E N L T P É Ï R D U
E S R S T N E M A C I D É M E R
S D È M R A N G L A I S A M A
K T W P R E N D S À C T C A H I
U E U Q I G R E L L A Ê I I U
T N E M E D I P A R L A E N I
```

84

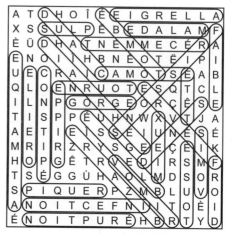

```
A T D H O Î É E I G R E L L A
X S S U L P È B E D A L A M F
È Ü D H A T N E M M E C É R A
E N O I H B N E O T Ë I P I
U E C R A C A M O T Ë E A B
Q I L N P G Ô R G E O R Ç E S L
I L A T P P É U H N W X V J A
T S E T I E I S S É I U N É S É
A E R I R Z R Y S G E E C E I K
M H O P G Ê T R V E D I R S M F
H T S É G G Ù H A O L M D S R O
S A P I Q U E R P Z M B L U O
É A N O I T C E F N I I T O È I
É N O I T P U R É H B R T Y D
```

SOLUTIONS

85

86

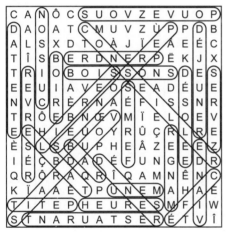

87

88

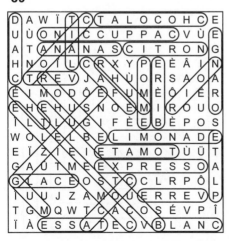

89

90

SOLUTIONS

91

92

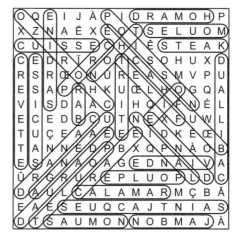

93

94

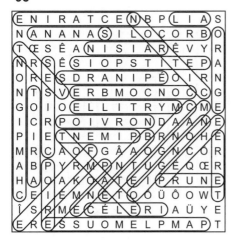

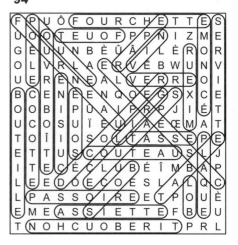

95

96

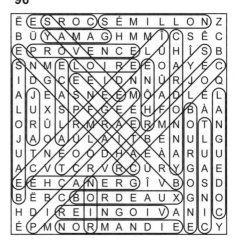

SOLUTIONS

97

```
S C O L O C A T A I R E Œ R E
E K L A E S I N D I V I D U Ï
Ç Ü F M I W É T É Ô H É R O S
I O M I A I P E R S O N N E O
Ê E C K L É T R A N G E R I S
F L C O L L È G U E Q M R H A
N I A M U H E R T Ê U A E F D
Û Y Î D U P O K Ù E M R E S O
A Ô A E N I É R Î Œ B E E L
P D U P A R E N T Ï E N Œ M E
T N I O J N O C N B F H Û M S
Â É T I A R T E R A Ô K B O C
E C N A S S I A N N O C R H E
G A R Ç O N À T U Ü Z Î È A N
I Œ Ë Ï É T I T E P E T U O T
```

98

```
H E I N E T N A I C U O S N I
O I E U Q I H T A P M Y S T N
N A G Ô X U E G A R U O C M E Y
Ê U E N E Ï À L L G O U H T G
E T U É Ù S B F R L E U Ê É É
T M I Q G B A U X I I U T E G N
N I I L M A N E T A E Ü O É É
E D A G H T B A U R S L I N N
D E N E C M N E R T A Ê E U U
U W U N A U N É E D U H É Y X
R X L T V À H T G O E H C E Ü
P À Ï Ô R É L È D I F G È E Ç
N F Ô C T N A M R A H C E X Â
```

99

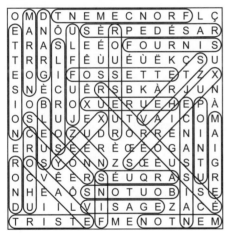

```
O M D T N E M E C N O R F L Ç
E A N Ô U S È R P E D É S A R
T R A S L E É O F O U R N I S
T R R L F Ê Ù U É Ù Ë K C S U
E O G I F O S S E T T E T Z X
S N È C U Ê R S B K À R J U N
I O B R O X U E R U E H E P À
O S L U J E X U T V A I C O M
N C E O Z U D R O R R È N I A
E R U S É È R È C Œ E O G A G
R O S Y Ô N N Z S Œ E U S T G
O C V Ê È R S É U Q R À S U R
N H È A Ô S N O T U O B I S E
D U I L V I S A G E Z A C É
T R I S T E F M E N O T N E M
```

100

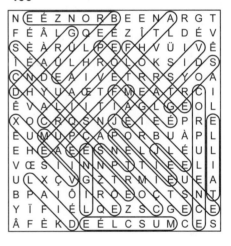

```
N E É Z N O R B E E N A R G T
F É À L G Q E E Z Î T L D É V
S È À R U L P E F H V Ü I V Ê
Î É A U L H R O L O K S I D S
C N D E A I V E T R R S Y O A
D H Y U A E T F M E A T R C I
Ê V A L I I T I A G L G É O L
X O C R O S N J É I É É P R L
È U M P C A P O R B U À I I
E H È A E É S N E L L É U L A
Œ S I I N N P T I E E L I A T
U L X Ç V G Z T R M I E U E A
B P A I Ô Î R O E O C T S N T
Y Ï F I É L Q E Z S C G E C E
Â F È K D E É L C S U M C E S
```

101

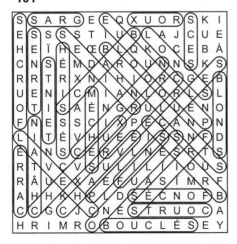

```
S S A R G E E Q X U O R S K I
E S S S S T I U B L A J C U E
H E Ï H E Œ B L Q K O C E B À
C N S É M D A R O U N N S K S
R R T R X N I H I O R C G E B
U E N I C M I A N L O R L S L
O T I S A È N G R U L U É N O
F N E S S C I X P É C A N P N
L I T É V H U E É I S S N F D
E A N S C É R V I N È S R T S
R T V C V S U L I L Î O U S
R Â U E X A É É U A S Î M R F
A C H H X H P L D S É C N O F B
C C G C J C N E S T R U O C A
H R I M R O B O U C L É S E Y
```

102

```
P A Y U O U R C Q U E D E S J
U S P A N T H É O N M É Î E V
U I C K S Ü F K S L A Ï M L H
V A A I E R G I L A D È R L Ü
A R T N N M O Ô K Y E T U I S
N A A V Ï É O D L O R R Œ A E
É M C A R U A E T R T I C S G
I Q O L È E F O O S O O É R E
D V M I L F Y V U I N M R E O
L E B D I U K N I A F P C V V
O N E E C O T M R L D H A E E
U D S S T K Ç È M A U E S T N
V Ô U O D I P M O P G S B T I
R M O U L I N R O U G E Ë E E
E E I S I N E D T N I A S Ï S
```

SOLUTIONS

103

```
O R R A S S I P R E H C U O B
V U I L L A R D N I A R R O L
B D B Z Y P Û N I Ô F F Z É U
O U S O V F A Œ U L È S G C F
U B X È U Z U E G B O E L O E
U I Ë Ë D S D U Ù R D P U F
G U O C O S I S A G E D M R É
U F C R R I B B N C L B N A B N
E R E T Ë E C A C I G H E I
R T A O O U U N A O E C T S S
E A M L O È S N O R N O T U I U
A N D E W H A T E A T Â I D B O
Â D Y Y I D R R R E R V Î P
Œ E Ï H Œ H D K O A B E D A P
H T B A Z I L L E M O N E T D
```